casal imperfeito

FERNANDA WITWYTZKY
COM RAFAEL CARRILHO

CASAL IMPERFEITO

RETRATOS DE UM CASAMENTO
APERFEIÇOADO EM DEUS

As citações bíblicas são da *Nova Versão Internacional* (NVI), a menos que seja especificada outra versão da Bíblia Sagrada.

Os pontos de vista desta obra são de responsabilidade de seus autores e colaboradores diretos, não refletindo necessariamente a posição da Thomas Nelson Brasil, da Pilgrim ou de suas equipes editoriais.

Publisher	*Samuel Coto*
Editores	*Brunna Castanheira Prado* e *Guilherme Cordeiro Pires*
Assistente editorial	*Beatriz Lopes*
Preparação	*Sara Faustino Moura*
Revisão	*Eliana Moura Mattos*
Diagramação	*Sonia Peticov*
Capa e projeto gráfico	*Vinicius Lira*

Dados Internacionais de Catalogação na Publicação (CIP)
(BENITEZ CATALOGAÇÃO ASS. EDITORIAL, MS, BRASIL)

W14c Witwytzky, Fernanda

1.ed. Casal imperfeito / Fernanda Witwytzky. – 1.ed. – Rio de Janeiro : Thomas Nelson Brasil : The Pilgrim, 2022.
240 p.; 13,5 x 20,8 cm.

ISBN 978-65-56893-61-7

1. Alegrias. 2. Casamento – Aspectos religiosos. 3. Dificuldades. 4. Família – Aspectos religiosos. 5. Relacionamento – Homem – Mulher. I. Título.

02-2022/25 CDD: 248.844

Índice para catálogo sistemático:
1. Casamento : Casais cristãos : Aspectos religiosos 248.844

Bibliotecária responsável: Aline Graziele Benitez CRB-1/3129

Rua da Quitanda, 86, sala 601A — Centro
Rio de Janeiro — RJ — CEP 20091-005
Tel.: (21) 3175-1030
www.thomasnelson.com.br

Este livro foi impresso pela Vozes, em 2024, para
a Thomas Nelson Brasil. O papel do miolo é avena 80g/m^2,
e o da capa é cartão 250g/m^2.

Ao meu parceiro de vida.

Neno, o seu comprometimento com o nosso casamento me transforma diariamente.

Together we can be better, better we can change people, changing people we can bless the world.

Eu te amo!

SUMÁRIO

PREFÁCIO

Tradução de Guilherme Cordeiro

Nós nos lembramos bem de quando conhecemos o Rafa e a Nanda lá em 2016. Éramos missionários em um ministério no sul da Espanha quando Deus os colocou em nossas vidas. Numa tarde de domingo, acabamos almoçando juntos depois de um culto da igreja e rapidamente vimos que iríamos nos dar bem com eles! Ficamos animados a ponto de convidá-los para ir à nossa casa, a fim de os conhecermos melhor.

Sabe aquele tipo de gente aberta, amigável, animada e boa de conversa? Gente que faz você se sentir confortável e que deixa mais fácil você se abrir? Então você sabe como o Rafa e a Fernanda são. A nossa família de cinco pessoas (temos três filhos incríveis!) rapidamente se apaixonou por esses dois e começamos a compartilhar a vida com eles. Na maior parte do tempo, saíamos, brincávamos com nossos filhos e comíamos juntos; sempre que podiam, eles ficavam de "babá" dos nossos filhos! Comunidade do jeito simples e ordinário. Mas, em meio ao ordinário, a vida acontece. Ao passar tempo conosco e com nossos filhos, Rafa e Nanda logo entenderam como vivemos e viram em primeira mão as qualidades do nosso casamento e da educação que damos a nossos filhos... e um monte de imperfeições também.

Estamos casados há quase 19 anos e já moramos em quatro países diferentes nesse período. Passamos por várias mudanças como casal, o que trouxe muito estresse para nosso casamento. Mas um grande conselho que recebemos durante nosso aconselhamento pré-nupcial e que nos ajudou muito ao longo dos anos foi: concentrar-se em encarar desafios matrimoniais como um time. Em meio à luta, é extremamente tentador tratar seu cônjuge como o problema e começar a culpá-lo. Mas temos aprendido a separar o desafio da pessoa e, lado a lado, a buscar enfrentar o problema juntos. Por exemplo, se um de nós está se sentindo malcompreendido ou não atendido, em vez de culparmos o outro por não saber ouvir, identificamos juntos o desafio que precisa ser trabalhado e então falamos sobre isso. A nossa comunicação é o problema, e não a outra pessoa. Para continuarmos a praticar esse conselho, ainda há ocasiões em que nos colocamos lado a lado fisicamente, de braços dados, e imaginamos enfrentar o problema à nossa frente. Esse ato físico nos lembra de que estamos no mesmo time, ainda nos amamos e estamos comprometidos a trabalhar nisso — juntos.

Nunca subestime o valor de continuar conectado como casal. O nosso foco em relações positivas cotidianas foi fundamental para um casamento saudável. Por muitos anos, pensávamos que, a fim de tornar nosso casamento melhor, deveríamos focar a parte mais frágil de nosso casamento. Certamente, resolver o maior e mais terrível conflito primeiro melhoraria as coisas, não é? Não necessariamente! Para nós, isso levaria muitas vezes a mais feridas, mal-entendidos e frustrações. Hoje, entendemos que a conexão é o que fomenta segurança, confiança e intimidade — o que é necessário para encarar esses desafios como um time! É escolher se virar um para o outro, tanto metafórica quanto fisicamente, mesmo quando você não está a fim. A postura física de nosso corpo pode ter um impacto direto na hora de se conectar. Um dos momentos mais difíceis para nós é quando vamos para a cama frustrados um com o outro. O nosso egoísmo requer distância, enquanto o que mais precisamos é nos reconectar. Escolher se virar para o outro e olhar de frente pode criar imediatamente um caminho para a conexão. Pode ser difícil, mas você vai se surpreender com os resultados. (Para quem tem filhos, talvez você queira trancar a porta caso isso leve a algo mais divertido.)

O tempo que compartilhamos com Rafa e Nanda na Espanha graciosamente se sobrepôs a uma época em seu casamento em que eles precisavam de uma nova perspectiva, mais encorajamento e apoio. Nunca os convidamos para um curso de casamento ou lhes demos uma aula sobre como ter um casamento de sucesso. Mas o que oferecemos foi a nossa própria jornada e alguns aprendizados importantes que obtivemos nela.

A nossa amizade se tornou um lugar seguro no qual eles foram ouvidos e validados; no qual eles podiam ser vulneráveis. Nós ouvimos, fizemos perguntas, compartilhamos nossas lutas, choramos juntos e oramos bastante. Lá no fundo, eles sabiam que valia a pena lutar pelo casamento deles, mas precisavam ser lembrados disso. Não é do que todos precisamos de vez em quando? Todos passamos por épocas semelhantes, em que tudo parece tenebroso, frustrante e, às vezes, até desesperador.

Durante esses momentos, precisamos de alguém de confiança para torcer por nós. Precisamos ser lembrados da verdade de que nosso casamento vale nosso tempo e nossa dedicação e de que ele pode ser maravilhoso, com a ajuda do Senhor e o apoio de uma comunidade amorosa.

Deste lado do mundo, nós torcemos por você e abençoamos o seu casamento! Ao ler este livro, que fique a mensagem de que tanto você quanto seu cônjuge estão no mesmo time e seu casamento é um presente sagrado, pelo qual sempre vale a pena lutar.

DERIC E AMBER MOEN

INTRODUÇÃO

Quando eu ia começar a escrever esta introdução, ouvi o barulho do carro entrando na garagem. Era o Rafa, meu marido, chegando do trabalho. Mais cedo eu havia lhe enviado uma mensagem contando como tinha sido difícil esta manhã com os nossos bebês e quão exausta eu estava. Levantei, saí do escritório e fui ao encontro dele. Ele entra em casa com as mãos para trás e me fala: "Trouxe uma coisinha para você". Era o meu chocolate preferido. Vou em sua direção e o abraço. Esse lugar é o nosso refúgio, e nós sabemos muito bem disso. Conversamos por cinco minutos, eu desabafo, ele ouve, nos conectamos, me reabasteço, e voltamos para os nossos afazeres. Ele vai buscar as compras do mercado no carro, eu volto para o escritório para começar a escrever.

Essa é uma das cenas do nosso casamento. Ela é apenas um recorte de nossos dez anos de relacionamento (sete como casados). Parece uma cena simples demais para ser registrada, mas ela é fruto de diversos acertos que fizemos nesses anos juntos. Nós passamos por poucas e boas para hoje chegar a esse lugar de acolhimento, entendimento, comunicação e conexão. Falhamos muito no caminho e estamos longe da perfeição, mas ainda teremos muitos anos pela frente.

Nesses sete anos, eu e o Rafa vivemos momentos de muitas incompatibilidades. Os dias ensolarados do romance se tornaram nublados e sem cor. Atitudes românticas deram lugar a brigas entre um casal imperfeito. A lua de mel precisou acabar para que a gente se enxergasse de verdade. A realidade das nossas imperfeições bateu à nossa porta e encontramos nela uma oportunidade para o nosso casamento florescer.

Quando me veio a ideia deste livro, me questionei internamente muitas vezes se nós, ainda jovens, poderíamos ter alguma propriedade para falar sobre o casamento. Não temos trinta anos de casados, não temos filhos crescidos, não nos separamos e depois voltamos para ter uma história de impacto... Por que então escrever sobre o casamento?

Ao mesmo tempo que estava imersa nesses pensamentos, eu olhava para o cenário à minha volta, via inúmeros divórcios de jovens recém-casados e sentia uma tristeza gigantesca. Muitas pessoas têm se separado bem antes de se darem a chance de completar sete anos de casados ou experimentar a alegria de celebrar dez anos juntos. Por que isso acontece com tanta frequência? Ou por que as legendas de divulgação de um divórcio nas redes sociais parecem tão lindas e atraentes? A vida é assim mesmo? O amor chegou a esse nível de fragilidade e superficialidade?

Ao saber que vivemos em um mundo com fome de felicidade plena e imerso em prazeres momentâneos, todas essas perguntas ganham uma resposta. Como jovens casais, não podemos mais contar com o incentivo externo de levar uma vida conjugal duradoura, muito menos de formar uma família e pensar a longo prazo. Fomos programados para pensar só no agora. O "ser feliz a qualquer custo" tem custado muito caro e o preço muitas vezes tem sido a separação.

O que me satisfaz? Isso está servindo para mim? Estou completamente realizado e feliz nesse relacionamento? Ele(a) me ama o quanto eu mereço ser amado(a)? Ter filhos vai atrapalhar a minha vida? Esses são os questionamentos de uma geração que tem se tornado cada vez mais egoísta e solitária. Em busca da perfeição, os casais têm fugido de suas imperfeições ao invés de trabalhá-las em prol do próprio casamento.

Por meio deste livro você e seu cônjuge poderão olhar juntos para dentro do seu relacionamento e enxergar quais são os ajustes necessários. São sete capítulos com aprendizados que obtivemos em nossos sete anos de casados. Aqui vocês encontrarão passos práticos que nos ajudaram como casal, e que podem ser ferramentas preciosas nas mãos de outros casais também. Compartilho — em alguns capítulos, junto ao Rafa — histórias verdadeiras de duas pessoas imperfeitas caminhando com Deus em direção a um casamento que dure e dê muitos frutos.

Este livro não é para te assustar diante da realidade do casamento, muito menos te dizer "Case-se e você será eternamente feliz e realizado(a)!", mas para lembrar e mostrar que vale a pena! Este livro não visa te ensinar a formar um casal perfeito, muito menos exaltar as nossas imperfeições. Mas para ver, com você, que um casamento fundamentado em Deus encontra possibilidades de se fortalecer em meio às fraquezas. Vamos entender juntos o que Deus pensa sobre o casamento, sobre os papéis do homem e da mulher e como todos os princípios básicos de um relacionamento duradouro estão na Palavra de Deus. Foi no Senhor que eu e o Rafa encontramos a resposta do nosso casamento. É em meio a imperfeições, louças sujas, conversas longas, noites sem sexo e fraldas sujas que encontramos a beleza de um casamento fundamentado no Senhor.

Capítulo 1

UM NOVO LAR

"Esqueçam o que se foi; não vivam no passado. Vejam, estou fazendo uma coisa nova! Ela já está surgindo! Vocês não a percebem? Até no deserto vou abrir um caminho e riachos no ermo."

Isaías 43:18,19

ESVAZIANDO AS MALAS

Chegou o tão esperado dia! Depois de anos de namoro, entrega de convites, escolha de vestido, busca pelo terno ideal, correria para a casa ficar minimamente ajeitada... Tudo pronto. É hora de festejar. A noiva entra pelo corredor com os olhos fixos em seu amado. Deixa para trás a casa de seus pais, o seu passado, e vai em direção a uma história totalmente nova. Do outro lado está o noivo, observando a sua amada. Diante de seus olhos, ele pode contemplar a chegada do seu futuro. A vida deles, a partir desse momento, nunca mais será a mesma.

Eu gosto do quanto a nossa cultura valoriza o dia da celebração do casamento. Os mínimos detalhes importam, afinal esse dia marca a nova jornada na vida do casal. A escolha pelo casamento é, de fato, depois da decisão por Cristo, a escolha mais importante da nossa vida. Porém, sinto que culturalmente nos empenhamos muito nesta data, e depois dela é comum nos depararmos com certo desleixo. Nesse caminho, aquele jovem casal que tanto se dedicou a um dia de cerimônia perfeita se vê diante dos desafios de uma vida ordinária e rotineira a dois.

A escolha pelo casamento é, de fato, depois da decisão por Cristo, a escolha mais importante da nossa vida.

O dia do meu casamento é uma das memórias mais especiais que eu tenho na minha vida. Depois de dois anos e meio de namoro, eu e o Rafa celebramos o início da nossa vida a dois em uma linda cerimônia embaixo de uma árvore. No final da celebração fomos agraciados com uma chuva forte, sujando os vestidos, molhando as mesas decoradas e fazendo todo mundo sair correndo para o salão de festas dando boas risadas. Eu tinha muitas expectativas para esse dia, afinal nos preparamos para ele por um ano. Mas a minha real maior expectativa sobre aquela data era o fato de que ela marcaria o começo de uma nova etapa. Eu sempre quis ter a oportunidade de escrever uma nova história.

Eu e o Rafa viemos de realidades muito diferentes. Ele veio de um lar em que o casamento dos pais era muito estruturado, e por isso desejava viver aquilo que sempre viu dentro de casa. Em contrapartida, eu vim de um lar onde os meus pais viviam um casamento conturbado e, por isso, eu desejava fazer diferente. Por mais justo que fosse o meu desejo de querer construir algo novo, o casamento não é a junção de duas páginas em branco. Nós trazemos conosco as nossas vivências e histórias.

A minha história, como a de todos nós, começa no encontro dos meus pais. Meu avô paterno veio com a sua família da Alemanha, fugindo da guerra. Casou-se com a minha avó e tiveram três filhos, mas futuramente acabaram se separando. Por conta disso, meu pai cresceu em um lar com muitos conflitos familiares. Já a história da minha mãe daria tranquilamente uma novela. Ela nasceu em uma fazenda, fruto do relacionamento do filho do dono da fazenda com uma das empregadas. Foi criada pelos avós, que faleceram quando ela tinha 12 anos. Estando órfã de seus pais de criação, ela foi morar com quem pensava ser seu irmão, que, na verdade, era o seu pai. Sim, parece coisa de filme. Ela conheceu o meu pai aos 19 anos e, alguns meses depois, se casaram, ambos recém-convertidos. Aos 25 anos, eles já tinham três filhos. Sem muita experiência, aconselhamento ou maturidade emocional e espiritual, dois jovens com um histórico familiar confuso e quebrado decidiram experimentar o casamento e a vida familiar.

Antes de continuar com a história da minha família, é importante frisar que hoje estamos todos bem. Os meus pais, graças a Deus, depois de muitos anos, se resolveram e continuam casados, e eu os amo muito. Mesmo em meio às dificuldades, tenho ótimas lembranças da minha infância e reconheço todo o esforço deles ao criar três filhos na juventude, vindo de históricos familiares tão difíceis.

Mas isso não isenta o fato de que eu cresci em um lar desestruturado e presenciei muitas brigas desde muito pequena até sair de casa quando me casei. Todo o comportamento dos meus pais, durante os vinte e cinco anos que vivi naquela casa, acabaram formando muito quem eu era e como me comportaria futuramente dentro do meu casamento.

Do outro lado, está a história do Rafa. Os seus pais, assim como a maioria dos casais, vieram de realidades diferentes. O meu sogro se converteu já adulto depois de ter vivido uma vida agitada em meio a bebidas, festas, violência e drogas. Se você o conhecesse hoje, jamais imaginaria o seu passado. Deus mudou completamente a vida dele. A mãe do Rafa, minha sogra, cresceu em um lar cristão e levava uma vida simples dentro da igreja. Eles se conheceram quando a minha sogra tinha 15 anos; o meu sogro, 26, e namoraram por três anos e meio. Nesse tempo, investiram muito em uma vida espiritual como casal e se prepararam para o casamento. Isso lhes trouxe muitos frutos em um lar com filhos. O Rafa e sua irmã Carol cresceram sem ver seus pais brigarem sequer uma vez.

Quando eu e o Rafa nos conhecemos, estávamos vivendo momentos diferentes. Ele tinha um sonho muito grande de se casar e formar uma família, e eu havia acabado de sair de um relacionamento conturbado e estava com o meu coração quebrado. Deixei o Rafa muito ciente da minha situação e ainda assim ele quis me pedir em namoro para os meus pais. O Rafa era o sonhador, eu era o pé no chão. Ele tinha certeza de que iríamos ficar juntos, eu queria esperar para ver. Ele foi muito persistente, até que eu finalmente me apaixonei por ele.

Ao nos prepararmos para o casamento, já noivos, começamos a fazer um estudo de casal com os meus sogros. Ali eu comecei a perceber que muitas coisas teriam que mudar em mim. Eu tinha um medo gigantesco da bagagem que eu estava levando para o casamento, depois de ter vivenciado de perto muitos conflitos dos meus pais.

Ao mesmo tempo, a minha expectativa em fazer tudo diferente era como se fosse um peso maior do que eu poderia carregar. Como eu faria algo que nunca aprendi a fazer? Comecei então a me dedicar à parte teórica de como eu poderia fazer diferente. Li muitos livros sobre relacionamentos, busquei aconselhamento, eu e o Rafa oramos juntos e buscamos fazer alguns ajustes necessários antes de o casamento chegar. Depois desse processo, chegamos a um consenso de que era o momento e estávamos prontos para nos casar.

Nossas primeiras semanas de casados foram maravilhosas. Como é bom poder dormir na mesma cama com quem você ama, dividir a casa, ter a decoração do seu jeito, chegar do trabalho cansado e se encontrar todos os dias. Parecia um sonho. Até que chegou o nosso primeiro conflito.

Como é bom poder dormir na mesma cama com quem você ama, dividir a casa, ter a decoração do seu jeito, chegar do trabalho cansado e se encontrar todos os dias.

Sempre que os meus pais brigavam, eles dormiam em camas separadas. Isso me entristecia muito, e eu prometi a mim mesma que nunca faria isso quando me casasse. Então ali estava eu, diante do meu primeiro problema no casamento. Era a minha primeira chance de provar que eu poderia fazer diferente. O conflito não era sobre nada grave, mas precisaríamos resolver. Estávamos no quarto, sentados em cima da cama e, quando eu percebi que aquilo não iria se resolver tão cedo, automaticamente peguei o meu travesseiro e comecei a ir em direção à sala. Nesse pequeno trecho do quarto até o sofá, caíam lágrimas de raiva de mim mesma. "O que eu estou fazendo? Prometi que nunca faria isso. Eu deveria começar uma nova história. Era só fazer diferente!" Mas aquela atitude era mais forte do que eu. Aquele caminho era o único que eu sabia. Ele era horrível, mas pelo menos era um caminho familiar.

Deitei no sofá, me cobri e fechei os olhos. "Eu estou errada, mas não vou sair daqui." De repente, vejo o Rafa vindo em minha direção. Ele traz o seu travesseiro, uma coberta grande, se deita no chão ao lado do sofá, estende a coberta sobre nós e me fala: "Nós nunca vamos dormir separados; não vai ser assim que vai funcionar na nossa casa". Aquilo me quebrou. Todo o meu orgulho naquele momento se foi. A simples atitude do Rafa em mostrar que poderíamos fazer uma nova história, mesmo que fosse difícil, me trouxe esperança e força para sair daquele sofá. Nos levantamos, voltamos juntos para o quarto, nos resolvemos e fomos dormir.

Todos nós entramos para o casamento carregando uma bagagem de comportamentos e pensamentos que vivenciamos em nossas antigas casas. E isso é completamente normal.

Todos nós entramos para o casamento carregando uma bagagem de comportamentos e pensamentos que vivenciamos em nossas antigas casas. E isso é completamente normal. A importância de darmos exemplo no casamento aos nossos filhos vem justamente disso. É provável que, em algum momento, eles vão reproduzir o que viram. Ainda assim, como adultos, podemos ter a oportunidade de recomeçar. E a expectativa do recomeço pode ser um pouco falsa ao querermos deixar para trás absolutamente tudo o que vivemos e achar que isso não terá influência sobre nós.

Nessa caminhada de entender o que trazemos do nosso antigo lar, só podemos nos desfazer dessas malas juntos. Por isso a importância de o nosso cônjuge conhecer as nossas bagagens. Assim como eu, o Rafa também tinha suas bagagens, diferentes das minhas, mas também eram expectativas falsas do que o nosso casamento seria.

Diante desse cenário, temos duas escolhas: ignoramos o que trazemos de casa e fingimos que nada nos afeta, ou reconhecemos as nossas dificuldades e buscamos uma solução juntos. Não é um processo fácil e rápido, pois exige quebra de orgulho e, principalmente, olhar para si mesmo. Algumas vezes ainda me pego fazendo coisas que abomino, mas o fato de saber de onde elas vêm me ajuda a lutar contra elas e escolher diariamente um caminho diferente.

Quando as expectativas são frustradas, às vezes pelo nosso próprio comportamento, encontramos uma oportunidade de nos desnudar emocionalmente um para o outro. Não há máscaras dentro do casamento. Assim como nos desnudamos sexualmente, tirar as diversas roupas e bagagens que carregamos é necessário para que possamos mostrar quem realmente somos.

Quando as expectativas são frustradas, às vezes pelo nosso próprio comportamento, encontramos uma oportunidade de nos desnudar emocionalmente um para o outro. Não há máscaras dentro do casamento.

Saindo do âmbito comportamental e trazendo para o espiritual, podemos ter a certeza de que Deus é o melhor autor de novas histórias. A Bíblia conta diversos recomeços de pessoas que tiveram suas vidas completamente transformadas. Nos primeiros capítulos do livro de Isaías, o profeta transmite mensagens de juízo e punição para os pecados de Israel, de Judá e das nações vizinhas. Porém, como toda história escrita por Deus, nos próximos capítulos podemos encontrar mensagens de perdão, recomeço e esperança: "até no deserto vou abrir um caminho e riachos no ermo" (Isaías 43:18 e 19). Como surgirão águas vivas em um deserto? Como escrever uma nova história se nem sabemos como fazer diferente? Deus sabe e Ele é capaz de fazê-lo. Para isso, a vida espiritual do casal precisa estar viva. Ter olhos e ouvidos espirituais para enxergar as bagagens do nosso cônjuge, além do que elas aparentam, é uma dádiva de quem caminha perto do Senhor. Ao nos colocarmos em uma posição de oração pelo nosso cônjuge e ao orarmos juntos como casal, nos fortalecemos e caminhamos com Aquele que luta a nosso favor, e não contra nós.

Ao nos colocarmos em uma posição de oração pelo nosso cônjuge e ao orarmos juntos como casal, nos fortalecemos e caminhamos com Aquele que luta a nosso favor, e não contra nós.

A Bíblia nos diz que em Cristo somos livres das amarras do passado e podemos olhar com esperança para o futuro. Não precisamos mais ter medo de repetir os mesmos erros e viver presos neles. Novos comportamentos trarão novas histórias. Assim, esvaziamos as malas e ali colocamos novas vestes.

> Assim que, se alguém está em Cristo, nova criatura é; as coisas velhas já passaram; eis que tudo se fez novo. E tudo

> isto provém de Deus, que nos reconciliou consigo mesmo por Jesus Cristo, e nos deu o ministério da reconciliação; Isto é, Deus estava em Cristo reconciliando consigo o mundo, não lhes imputando os seus pecados; e pôs em nós a palavra da reconciliação. De sorte que somos embaixadores da parte de Cristo, como se Deus por nós rogasse. Rogamo-vos, pois, da parte de Cristo, que vos reconcilieis com Deus. Àquele que não conheceu pecado, o fez pecado por nós; para que nele fôssemos feitos justiça de Deus. (2Coríntios 5:17-21)

A CASA É NOSSA!

Uma das coisas mais legais do começo do casamento é o casal poder montar a sua casa juntos. Depois de anos morando na casa dos pais, ou de outras pessoas, juntar os seus gostos com quem você ama e pensar em cada detalhe da casa, por mais simples que seja, tem realmente um sabor muito especial. Me lembro de que em nosso chá de panela um dos momentos mais esperados foi o de abrir todos os presentes. Aqueles objetos novinhos eram a nossa cara. Podíamos ver em forma material que estávamos finalmente começando uma vida a dois.

Nos dedicamos muito ao montar o nosso primeiro lar. O dinheiro era curto e isso nos levou para o caminho de fazer muitas coisas à mão. Construímos a base da nossa cama e o painel da televisão. A mesa de jantar era um rolo de fio de madeira gigantesco que conseguimos em uma madeireira. Também montamos uma arara pendurada no teto igual à de uma loja que havíamos gostado. Tudo daquele apartamento tinha um toque personalizado.

Estávamos muito empolgados com a nossa nova vida e o nosso novo cantinho!

Antes de nos casarmos, conversamos muito pouco ou quase nada sobre como poderíamos administrar o funcionamento da nossa casa. Nos primeiros dias, por conta da empolgação do início do casamento, não havia cobranças ou expectativas de quem faria o quê. Algumas coisas do serviço da casa eu fazia, outras o Rafa, e fomos levando dessa forma, até que começamos a entrar em alguns conflitos. Acredito que muitos casais acabam não conversando sobre isso, supondo que vai acontecer de forma natural. E foi justamente nesse ponto que nos enganamos.

Assim como trazemos bagagens do comportamento dos nossos pais para dentro do nosso casamento, também trazemos a forma como as tarefas funcionavam em nosso antigo lar. Geralmente, filhos e filhas que não participam das atividades domésticas têm dificuldade em entrar em um ritmo de rotina do trabalho de casa depois do casamento. Pelo menos foi assim que aconteceu conosco.

Geralmente, filhos e filhas que não participam das atividades domésticas têm dificuldade em entrar em um ritmo de rotina do trabalho de casa depois do casamento.

Eu vim de uma cultura familiar muito forte onde todos participavam dos deveres da casa. Me lembro inclusive de uma tabela de pequenos serviços domésticos que eu e meus irmãos poderíamos fazer e ganhar alguns centavos com isso, somando no final do mês uma pequena mesada para cada um. Em contrapartida, o Rafa veio de um lar onde os serviços domésticos eram bastante centralizados na mãe, o que de modo geral é muito comum em nossa cultura.

Ao começarmos um lar onde duas pessoas lidavam de forma muito diferente com as tarefas de casa, os conflitos começaram a aparecer cada vez mais. Na época, conversando com outros recém-casados, percebemos que esse era um problema bem comum entre os casais, e muitos reclamavam que essa estava sendo a maior dificuldade no início do casamento. Esse assunto pode até ser ignorado em cursos e livros sobre relacionamento, mas a realidade é que ele é um dos pontos mais importantes de ser ajustado não só para o casamento, mas também para a chegada dos filhos no futuro.

Existem algumas formas segundo as quais esses ajustes podem ser feitos de forma saudável, sem que os conflitos amargurem o relacionamento. O que nos ajudou muito como casal foi o entendimento de dois aspectos.

Primeiro, a casa é dos dois. Partindo da ideia de que, geralmente, um casal é formado por duas pessoas diferentes, pode ser que exista um lado mais organizado e que naturalmente assuma mais tarefas domésticas, e outro que não tome tanta iniciativa, nem tenha costumes de organização. O mais organizado pode acabar se tornando o centralizador dos afazeres, de forma que pareça que a casa é só dele, e do outro lado se tem apenas um ajudante.

Claro que existem lares em que uma dessas pessoas assume esse papel de "dono(a) da casa" — sem problema algum —, seja porque gosta ou porque tem o trabalho doméstico em tempo integral. Mas, na realidade da maioria dos casais de hoje, onde as duas partes trabalham fora de casa e sobra pouco tempo para a manutenção do lar, trabalhar como uma equipe é a opção mais inteligente. E melhor, não sobrecarrega ninguém.

O que muitas vezes vemos são casais em que uma das partes carrega um peso maior do que pode, ao ter que administrar o lar sozinha. Quando os dois enxergam a casa como propriedade e responsabilidade mútua, fica mais fácil não se colocar num papel só de apoio e protagonizar mais as tarefas.

Em segundo lugar, dividir as tarefas de forma clara. Como eu vim de um contexto familiar de muita participação nos afazeres da casa, os serviços me pareciam óbvios. Assim, por muito tempo, eu exigi do Rafa um "senso comum", que naquele momento fazia sentido só para mim. Por exemplo, eu esperava que ele tiraria o lixo pelo simples fato de a lixeira estar cheia, afinal, na minha cabeça, isso era normal. Mas, antes de casar, ele nunca tinha precisado formar o hábito de tirar o lixo, pois outra pessoa sempre o fazia. Eu ficava irada por dentro e pensava: "Mas isso é tão óbvio!", e era mesmo... para mim ou para alguém que tenha essa visão de cuidado com a casa. Para ele — ainda — não era.

Um dia, depois de muitos meses insatisfeita e cansada, sentamos para conversar. Abri o meu coração e disse o quanto eu vinha me sentindo sobrecarregada. Ele me pediu perdão e disse que funcionaria melhor para ele se houvesse uma clara divisão das tarefas. Isto é, o que cada um teria como responsabilidade dentro de casa. Um cozinharia, o outro lavaria a louça. Um tiraria o lixo, o outro guardaria as compras. Um colocaria a roupa para lavar, o outro a recolheria, e assim por diante. Essa divisão clara nos ajudou muito.

Porém, um erro muito comum em casais que tentam fazer a divisão de tarefas é que, quando um não cumpre, o outro irritadamente assume a demanda. Eu cometi essa falha muitas vezes. Não entendia que era um processo para o Rafa e, quanto mais eu protagonizava, mais ele não assumia. Foram anos nessa caminhada, até chegarmos àquele lugar que eu precipitadamente exigi de primeira: o do senso comum. Durante esse tempo, houve momentos em que um assumia mais que o outro por conta das demandas de outros trabalhos, e é assim mesmo que funciona. A ideia não é competir para ver quem faz mais ou menos, mas trabalhar juntos como uma equipe. E isso servirá para diversas outras áreas do casamento.

A ideia não é competir para ver quem faz mais ou menos, mas trabalhar juntos como uma equipe. E isso servirá para diversas outras áreas do casamento.

Esses ajustes feitos nos primeiros anos de casados ajudam muito a vida do casal na chegada dos filhos. Surgirão diversas novas demandas ao cuidar de um bebê e, se o casal já estiver em um ritmo harmônico de divisão de tarefas, as coisas funcionarão muito melhor. Cuidar de uma casa com crianças se torna mais fácil quando o casal se entende no funcionamento do lar, onde a comunicação é clara e a ajuda é mútua. Além disso, existe o fato de que provavelmente será criada nessa família uma cultura de filhos e filhas que entenderão melhor sua função como adultos em um futuro lar. Todos saem ganhando.

Tratar a divisão de tarefas dentro do nosso casamento por alguns anos mexeu muito conosco como casal, mas o maior efeito foi individual. Diariamente, tínhamos a oportunidade de lidar com o nosso pior. A minha falta de paciência só se tornava mais evidente diante da falta de iniciativa do meu marido. Muitas vezes, nesse processo de nos encaixarmos como um casal na administração de um lar, eu precisei entender que as coisas não sairiam do meu jeito.

Em contrapartida, o Rafa teve que sair de sua zona de conforto ao alongar um músculo que ele ainda não havia trabalhado: o da proatividade dentro de um lar.

Foram pequenos ajustes diários, somados à escolha pelo caminho da conversa, e não do atrito, que nos levaram a um funcionamento saudável da nossa casa. Hoje, em uma realidade com três bebês, posso seguramente afirmar que foi um trabalho que valeu muito a pena. Devemos aproveitar as oportunidades que a vida rotineira e ordinária nos oferece para sermos moldados em áreas que ainda precisam de ajustes. Não podemos subestimar os pequenos acertos dentro de um casamento; são justamente eles que nos moldam e nos levam a um lugar mais saudável e mais seguro.

Não podemos subestimar os pequenos acertos dentro de um casamento; são justamente eles que nos moldam e nos levam a um lugar mais saudável e mais seguro.

Muitas vezes vemos as tarefas domésticas como um serviço ingrato — pois nunca terminam — e irrelevante. É como se o cuidado diário com o lar não tivesse um valor diante de Deus. Nesse sentido, o livro *Liturgia do ordinário*, da escritora Tish Warren, nos traz uma visão sobre como as tarefas do dia a dia também fazem parte da nossa vida espiritual. Ela nos mostra como os afazeres domésticos, assim como todas as coisas simples que fazemos durante o dia, têm valor diante de Deus:

> A vida diária de louça suja na pia, crianças que sempre perguntam a mesma coisa e querem as mesmas histórias de novo e de novo e de novo, os longos tédios da noite, essas coisas estão cheias de repetição. E muito da vida cristã é

> voltar para as mesmas coisas de novo e de novo, para as mesmas tarefas e os mesmos hábitos de culto. Precisamos lutar com essas mesmas lutas de novo e de novo. A obra de arrependimento e fé é diária e repetitiva. De novo e de novo, nos arrependemos e cremos [...] O tipo de vida espiritual e as disciplinas necessárias para sustentar a vida cristã são silenciosos, repetitivos e ordinários. Eu frequentemente quero pular as coisas entediantes e diárias para ter o êxtase de uma fé ousada. Mas é no cotidiano da fé cristã, arrumar a cama, lavar a louça, orar pelos nossos inimigos, ler a Bíblia, o silencioso, o pequeno, que a transformação de Deus se baseia e cresce.[1]

Acordar, arrumar a cama ou lavar uma louça são tarefas que podem nos ajudar a nos parecer mais com Cristo. Afinal, toda a nossa vida serve para glorificar a Deus, e não somente o que consideramos santo e de valor. Ao acordar todos os dias e ter que cumprir os serviços da casa com o seu cônjuge, te convido a servir com excelência e humildade. Desssa forma, você servirá melhor à sua família, como quem ama e serve a Deus.

[1] WARREN, Tish H. *Liturgia do ordinário*: práticas sagradas na vida cotidiana. São Paulo: Pilgrim; Rio de Janeiro: Thomas Nelson Brasil, 2021. p. 51-52.

Aperfeiçoando

PERGUNTAS

1. Analisando a realidade da casa dos seus pais e o casamento deles, quais são as principais bagagens que você percebe trazer para o seu relacionamento?
2. Dentre essas bagagens, quais as que você considera positivas e quer levar para dentro do seu próprio lar?
3. Qual bagagem você sente mais dificuldade em admitir que precisa mudar ou mais tem lutado contra? De que forma você acredita que seu cônjuge poderia te ajudar a se desfazer dessa bagagem?
4. Quais são as suas tarefas domésticas favoritas? E as mais detestadas? Como você e seu cônjuge podem se organizar para se corrigirem e equilibrarem a divisão dessas tarefas?

SUGESTÕES

Façam juntos uma lista dos afazeres diários dos serviços domésticos, e depois analisem por quais deles cada um poderia se responsabilizar.

ORAÇÃO

Faça uma oração com o seu cônjuge trazendo à luz as bagagens das quais cada um de vocês precisa se desfazer. Peça orientação a Deus de como vocês podem criar uma nova cultura juntos dentro desse lar.

Capítulo 2

ENTRE QUATRO PAREDES

"Tudo o que é verdadeiro, tudo o que é honesto, tudo o que é justo, tudo o que é puro, tudo o que é amável, tudo o que é de boa fama, se há alguma virtude, e se há algum louvor, nisso pensai."

Filipenses 4:8

O CAMINHO DA PUREZA

O acesso ao sexo nunca foi tão fácil como em nossos dias. Questões sexuais nunca foram tão debatidas e questionadas como ultimamente. Podemos encontrar opiniões sobre o assunto nas nossas rodas de conversa, nos vídeos na internet ou na televisão. Podemos ter acesso a cenas sexuais ao simplesmente parar para assistir a um filme ou a uma série. Não podemos ignorar o fato de que vivemos um apelo sexual midiático gigantesco. As músicas, os clipes, as fotos, as roupas da moda... tudo tem nos direcionado a experimentar um tipo de vida sexual.

Vivemos um apelo sexual midiático gigantesco. As músicas, os clipes, as fotos, as roupas da moda... tudo tem nos direcionado a experimentar um tipo de vida sexual.

E o pior, cada vez mais cedo. Vemos crianças cantando músicas e reproduzindo danças de apelo sexual, sem ao menos entender o que estão fazendo. O silêncio sobre o tema pode nos dar a impressão de estarmos protegidos, porém tudo lá fora grita para nos incentivar a uma vida sexual ativa e precoce. Diante de todo esse cenário, muitas vezes estamos mergulhados em visões sobre como o sexo deveria ser, correndo o risco de muitas delas estarem fora daquilo que Deus espera de nós.

Trazendo para o nosso contexto, tanto eu quanto o Rafa crescemos em um ambiente cristão e isso acabou direcionando muitas de nossas escolhas na área sexual. Ainda na adolescência, fomos inculcados sobre a importância de manter a virgindade até o casamento, por mais que muito pouco fosse ensinado sobre o porquê dessa decisão, ou o que Deus realmente pensa sobre o assunto. É o famoso tabu que carregamos dentro das nossas famílias e igrejas.

Vivendo dentro dessa realidade, posso dizer que muito da pureza que pratiquei estava relacionada ao fato de não entender muito bem o que seria o sexo. Por outro lado, muitos dos meus futuros erros nessa área também vieram dessa ignorância sobre o assunto.

Durante a adolescência, tive muitos amigos homens, e sempre participávamos de programações da igreja juntos. Me lembro de que, em um de nossos encontros, um deles começou a desabafar sobre como estava sendo difícil para ele lutar contra a pornografia e a masturbação. Eu fiquei em choque. Esse nunca foi um tema conversado nas minhas rodas de amigas, e eu não havia passado por nenhuma experiência de acesso à pornografia ou à masturbação. Ouvi esse amigo atentamente e me coloquei à disposição para orar por ele. Mas, naquele momento, eu realmente não sabia o que mais poderia lhe dizer para o consolar — ou o alertar.

Quando eu tinha 16 anos, comecei o meu primeiro namoro, que terminou depois de três anos. Mais adiante, tive outro relacionamento que durou um tempo parecido. Nesses dois relacionamentos, tive a oportunidade de entender mais sobre o que seria a vida sexual, além de começar a colocar em prática algumas escolhas em direção à pureza. Não foi fácil. Eu não entendia muito bem quais eram os limites, o que era errado e o que eu poderia fazer. Quase não toquei no assunto durante aqueles anos, porque a minha impressão, naquela época, era de que só eu estava passando por aqueles dilemas. Hoje enxergo a situação de forma totalmente diferente: a maioria de nós (senão todos) passa por muitos problemas na área sexual.

Ainda assim, em meio a trancos e barrancos, consegui me manter virgem até o meu casamento com o Rafa. E ele também. Mas os nossos relacionamentos anteriores acabaram nos trazendo acesso a algumas pequenas experiências sexuais, justificadas por nós na adolescência como "sexo é apenas penetração, então podemos chegar até aqui". Experimentamos isso também dentro do nosso próprio namoro. De certa forma, tudo era muito confuso para nós. Tanto eu quanto ele, por mais que fôssemos virgens, carregávamos uma bagagem de como um namoro funcionava.

De um lado estava o Rafa, determinado a viver a pureza da melhor forma possível, lutando para não repetir os erros anteriores. Do outro, estava eu, com o desejo de continuar desfrutando de coisas que eu já havia vivido. No começo o Rafa conseguiu insistir em sua ideia, mas eu também insistia na minha, e ele acabou cedendo.

Nesse sentido, podemos ver quão importante é nos guardar em pureza até o casamento. Deus não falha quando nos aconselha a desfrutarmos de uma vida sexual em exclusividade com o nosso cônjuge. É muito mais fácil escrever uma nova história em um papel em branco. Ainda assim, aos casais que entraram para o casamento e já desfrutaram de experiências sexuais anteriores, volto a repetir que Deus é o melhor autor em escrever novas histórias. O caminho do arrependimento nos aproxima de Deus, e Ele, por Sua vez, nos permite viver algo novo, independentemente daquilo que já experimentamos.

Deus não falha quando nos aconselha a desfrutarmos de uma vida sexual em exclusividade com o nosso cônjuge. É muito mais fácil escrever uma nova história em um papel em branco.

Um ano e meio depois, quando já estávamos noivos, descobri que o Rafa estava vendo pornografia. Foi devastador para mim. Eu nunca imaginei que a forma que estávamos levando o nosso namoro poderia influenciar a maneira como ele levava a sua vida sexual. Claro que um erro não justifica o outro, mas é verdade que a nossa falta em buscarmos juntos uma pureza completa dentro do nosso relacionamento acabava desencadeando comportamentos quando não estávamos juntos. Foi naquele momento, no nosso noivado (que quase acabou), que decidimos começar a orar a respeito e voltarmos a uma busca pela pureza tanto individualmente quanto como casal.

Nesse caminho, nós choramos, falhamos, nos reerguemos, e o melhor: tivemos a oportunidade de testemunhar. Certo dia, quando eu ainda estava cursando a faculdade de Arquitetura e Urbanismo, minhas amigas me perguntaram por que eu e o Rafa escolhemos o caminho estreito da virgindade. Como acontece para muitas pessoas, elas tinham a impressão de que éramos cegos caminhando em direção a algo que não entendemos e só cumprimos. Em contrapartida, elas já experimentavam uma vida sexual ativa, e inclusive era comum eu ouvir todas as suas experiências. Naquele momento em que fui questionada sobre a nossa decisão, me veio uma resposta diferente de simplesmente dizer "É o que a Bíblia diz e pronto".

> Deus nos aconselha a guardar o sexo para o casamento, porque isso nos serve como proteção. Isso quer dizer que o sexo só é pleno quando vivido dentro de um lugar seguro e duradouro como o casamento.

Eu lhes disse que a escolha pela virgindade não era um castigo de Deus, mas um presente.

O que Deus nos ensina na Bíblia não são exigências sem sentido para que a gente simplesmente cumpra com as regras. Quando entendemos Deus como um Pai, recebemos os seus conselhos como um presente de vida. E, como um bom Pai, Deus nos aconselha a guardar o sexo para o casamento, porque isso nos serve como proteção. Isso quer dizer que o sexo só é pleno quando vivido dentro de um lugar seguro e duradouro, como o casamento. C. S. Lewis afirma que viver o sexo fora do casamento é como provar um alimento sem engoli-lo, nem digeri-lo. Poderemos até sentir o sabor do que seria o sexo ao experimentá-lo antes da hora, mas não desfrutaremos de sua satisfação e de seus benefícios. A experiência sexual que Deus planejou para nós é completa.

Como Tim Keller diz em seu livro *O significado do casamento*, viver o sexo fora do casamento é uma experiência enganosa e prejudicial a longo prazo:

> Em meio à paixão sexual, é natural que você tenha vontade de dizer coisas extravagantes como "Eu *sempre* vou amar você". Mesmo que você não esteja legalmente casado, em pouco tempo começará a sentir vínculos semelhantes aos do casamento e a imaginar que a outra pessoa lhe deve certas obrigações. Mas a outra pessoa não tem responsabilidade legal, social ou moral de sequer telefonar para você na manhã seguinte. Essa incongruência gera ciúme, mágoa e obsessão se as duas partes envolvidas sexualmente não forem casadas. Torna o fim do relacionamento muito mais difícil do que deveria ser. Leva muitos a permanecerem presos em relações negativas por causa da sensação de terem (de algum modo) formado um vínculo.[1]

É preciso estar disposto a pagar um preço caro ao querer desfrutar do sexo fora do casamento. Sinto que eu

[1] KELLER, Timothy & Kathy. *O significado do casamento*. São Paulo: Vida Nova, 2012. p. 275.

e o Rafa pagamos esse preço de forma parcelada ao termos nos envolvido sem determinados limites em outros relacionamentos e um com o outro também. Nós ainda não havíamos entendido a experiência do sexo como uma experiência completa. Isto é, preliminares fazem parte do sexo e certas intimidades também.[2]

Mesmo colocando limites dentro dos nossos relacionamentos, devemos ter a consciência de que vivemos as pressões externas de um mundo caído e cada vez mais favorável a vivermos a vida sexual diferentemente da forma que Deus preparou para nós. Assim, surgem muitas dúvidas, como: "De que forma posso me tornar mais puro? Devo me ausentar de todas as conversas impuras? Apago as minhas redes sociais e deixo de assistir à televisão para sempre?".

É fato que o caminho da pureza inclui muitos sacrifícios, e muitos deles estão ligados ao que consumimos diariamente. Porém, o que nos torna mais puros não é uma junção de meros esforços contra os apelos sexuais. A pureza vem através de um relacionamento direto com Deus. É por meio do entendimento daquilo que Ele quer de nós e do que lhe agrada que nos fortalecemos ao lutar contra o que é impuro. Contar apenas com nossas próprias forças e concepções sobre como devemos levar a nossa vida sexual é colocar-nos em uma posição perigosa de enfraquecimento espiritual. Sendo solteiro ou casado, o caminho da pureza é

Sendo solteiro ou casado, o caminho da pureza é o mesmo: devemos caminhar diariamente fortalecidos em Deus e em Sua Palavra.

[2]Para quem quiser ver um resumo sobre o que a Bíblia ensina sobre o namoro e seus limites, veja: FRANCESCO, Jean. *O significado do namoro*. São Paulo: Editora Coram Deo, 2018; HIESTAND, Gerald. *O que Paulo diria sobre ficar*. Artigo eletrônico Pilgrim, 2019. Ambos estão disponíveis na plataforma da Pilgrim.

o mesmo: devemos caminhar diariamente fortalecidos em Deus e em Sua Palavra.

Ao colocarmos um limite seguro e santo em nossos relacionamentos antes do casamento, passamos a ver o sexo como algo sagrado e um presente a ser desfrutado por completo futuramente, no momento certo. Nesse lugar, teremos a maturidade emocional de saber lidar com as consequências de viver uma vida sexual, além de podermos vivê-la em liberdade. Poder desfrutar do sexo dentro da nossa própria casa, em um ambiente seguro e sem precisar esconder nada, é um presente.

Hoje, ao vivermos a experiência sexual completa dentro do casamento, olhamos para trás e vemos quanto tínhamos uma fome imatura de saborear algo antes da hora. É como precocemente colher um fruto verde de uma árvore, quando não existe nada melhor do que, no tempo certo, colher um fruto maduro e desfrutar do seu sabor.

O caminho da pureza não é um lugar de castigo. Ele é um caminho seguro que nos leva a experimentar a boa, perfeita e agradável vontade de Deus.

O caminho da pureza não é um lugar de castigo. Ele é um caminho seguro que nos leva a experimentar a boa, perfeita e agradável vontade de Deus.

IDENTIDADE DO SEXO

> Vocês não leram que, no princípio, o Criador 'os fez homem e mulher' e disse: 'Por essa razão, o homem deixará pai e mãe e se unirá à sua mulher, e os dois se tornarão uma só carne'? Assim, eles já não são dois, mas sim uma só carne. Portanto, o que Deus uniu, ninguém separe. (Mateus 19:4-6)

Antes de me casar e poder desfrutar de uma vida sexual ativa, eu tinha uma visão sobre o sexo muito equivocada. Na minha cabeça — e acredito que na de muitos que se guardaram para o casamento —, o sexo funcionaria assim: você vai para a lua de mel e descobre o que ele é. Ali você vai colocar em prática tudo o que aprendeu (bem ou não) sobre como o sexo deveria ser. E fim, sem muitos segredos. Afinal, é por meio do sexo que a humanidade continua a existir e nos faz estar hoje aqui. Não deve ser tão difícil assim.

Depois do dia do nosso casamento, eu e o Rafa fomos passar a nossa primeira noite juntos em um hotel. Aquele momento era muito esperado por nós. Finalmente, depois de dois anos e meio de namoro, entre trancos e barrancos ao buscar um relacionamento puro, chegamos virgens ao casamento. Iríamos a partir dali desfrutar de uma vida de intimidades sem amarras. Nunca me esquecerei da sensação libertadora ao me deitar em uma cama de casal com o meu marido e poder passar a noite inteira com ele ali. Agora seríamos só nós dois e nos tornaríamos uma só carne. E o melhor: estávamos vivendo aquilo sob a bênção dos nossos pais e de Deus. Que momento especial!

Agora seríamos só nós dois e nos tornaríamos uma só carne. E o melhor: estávamos vivendo aquilo sob a bênção dos nossos pais e de Deus. Que momento especial!

No dia seguinte, viajamos para a Argentina, destino da nossa lua de mel. Chegando lá, fomos logo conhecer a cabana que havíamos reservado para passar os próximos sete dias. Ela era maravilhosa, espaçosa e o quarto era simplesmente incrível. Era o lugar perfeito para juntos saborearmos o gosto maravilhoso do que seria o sexo.

Chegou a hora! O Rafa foi para o quarto, enquanto eu fui me arrumar no banheiro. Levei as dezenas de roupas íntimas que eu havia ganhado no meu chá de lingerie e tentei colocar a mais bonita e adequada para aquele momento. Me olhei no espelho e me apavorei. Eu estava morrendo de vergonha e não queria sair daquele banheiro de jeito nenhum. *O que eu deveria fazer? É pra colocar um sapato de salto? Mas eu não uso salto. Faço uma dança? No meu chá de lingerie me falaram pra eu dançar pra ele... dançar? Com essa roupa? De jeito nenhum!* Decidi colocar um casaco para me tampar e me ajudar a tomar a coragem de sair dali.

Entrei no quarto, fechei a porta e, enquanto eu segurava o casaco o mais forte possível para que ele não se abrisse, me encostei na parede e disse para o Rafa: "Eu não vou sair daqui de jeito nenhum. Se você quiser alguma coisa, você vem aqui. Eu não tenho a mínima ideia do que fazer". Na verdade mesmo, eu queria cavar um buraco no meio daquele quarto e me enfiar ali. O Rafa se aproximou e eu lhe disse o quanto eu estava com vergonha, constrangida e não me sentindo eu mesma com aquele bando de roupa que haviam me presenteado. Eu não sabia reproduzir as coisas que me falaram que eu deveria fazer, e me sentia mal por não lhe oferecer o que talvez ele esperava de mim. Então ele, carinhosa e delicadamente, me tirou daquela posição rígida e tensa que eu estava e fomos para a cama começar do zero. E da nossa maneira.

A partir daquele momento, eu percebi quanta bagagem sobre aquilo que o sexo deveria ser eu havia trazido para o nosso casamento. Existiam em mim dois tipos de bagagens.

A primeira era a das expectativas que eu e as pessoas tinham sobre mim. Sempre fui muito extrovertida, nunca

tive vergonha de nada e isso sempre me fez pensar que um dia, ao ser introduzida a uma vida sexual, eu deveria agir de determinada forma. No meu chá de lingerie, todas as minhas amigas me tratavam como se eu fosse uma figura selvagem e me falavam como imaginavam que eu seria na cama. Isso acabou me fazendo entrar para a vida sexual carregando uma imagem de mim mesma que nem eu sabia se poderia sustentar.

A outra bagagem era tudo o que eu havia armazenado em minha mente, durante muitos anos, de como o sexo deveria ser. Essa foi a mais difícil de abandonar. Ao longo do tempo, lendo livros, vendo filmes, séries e conversando com outras pessoas, o sexo havia tomado uma forma na minha cabeça. O casal entra em casa aos beijos apaixonados, ferozmente tirando a roupa um do outro, vão se trombando pelas paredes até chegar ao quarto. O homem é uma máquina. A mulher é cheia de habilidades sensuais. Os dois estão muito seguros do que fazem e, após movimentos perfeitos, desfrutam do ato final. Depois disso, eles se abraçam, deitam de conchinha e dormem. É a cena perfeita e satisfatória. É só reproduzir.

Muitas vezes, ao iniciarmos a nossa vida sexual, levamos conosco para a cama todos esses pensamentos e essas expectativas sobre o sexo. Porém, nem imaginamos quão prejudiciais eles podem ser para que duas pessoas desfrutem do ato sexual de forma plena e única. Naquele primeiro ano de casados, eu e o Rafa fomos percebendo que nem eu, nem ele éramos o que esperávamos de nós mesmos. Muito menos o sexo seria exatamente da forma que fomos inculcados que deveria ser. Algumas vezes até tentamos reproduzir algo, e simplesmente não fluía. Nenhum de nós era *expert* na área sexual. Perceber tudo isso foi uma grande frustração para nós, individualmente e como casal.

Certo dia, decidi me abrir sobre o que estávamos passando para uma conselheira mais velha e de confiança, e ela foi extremamente usada por Deus. A primeira coisa que ela me disse, me causando grande espanto, era que, atualmente, depois de trinta anos casada com o seu marido, eles desfrutavam da melhor fase na área sexual da vida deles. "O sexo só melhora com o tempo". Como essa afirmação me trouxe esperança! A minha vida sexual de apenas alguns meses não estava totalmente acabada. A segunda coisa que ela me disse era que nós precisaríamos construir uma identidade do sexo. Eu nunca nem havia ouvido falar disso. Ela continuou dizendo que, juntos, eu e o Rafa construiríamos algo que seria só nosso, e de mais ninguém.

Essa conversa me abriu os olhos para muitas verdades.

Como jovens, temos a tendência de achar que tudo de melhor que temos para experimentar nesta vida é agora. Afinal, somos novos, temos beleza, vigor e muita energia! Porém, esse pensamento nos leva a ter dificuldades em entender que tudo que é bom e duradouro nos exige esforço, dedicação e sacrifício. As cenas dos filmes em que os casais desfrutam de um sexo perfeito e maravilhoso não são de casais de verdade. E, caso fossem, eles já teriam muito tempo de experiência na área sexual. Entrar para o casamento com fome de desfrutar algo que nem você, nem seu cônjuge conhecem pode levar à ideia de que talvez o sexo não seja bom, ou não era tudo aquilo que vocês esperavam.

Como jovens, temos a tendência de achar que tudo de melhor que temos para experimentar nesta vida é agora. Afinal, somos novos, temos beleza, vigor e muita energia!

Antes de casar, muitos de nós gastamos muito tempo querendo saber como o sexo pode ser, e entramos para o casamento sem aplicar o primeiro passo: precisamos conhecer um ao outro. Partindo do princípio bíblico de que o sexo é para servir um ao outro, e não somente para o nosso próprio prazer (1Coríntios 7:4), entendemos que, para isso, eu preciso conhecer o meu cônjuge na cama. Entender o que o outro gosta, nos abrir, ser verdadeiros e conversar, ou seja, simplesmente gastar tempo. Quando ouvimos que casais com muitos anos de casados desfrutam uma vida sexual melhor a cada ano que passa, é porque o bom sexo exige tempo.

> Quando ouvimos que casais com muitos anos de casados desfrutam uma vida sexual melhor a cada ano que passa, é porque o bom sexo exige tempo.

Esse entendimento trouxe a mim e ao Rafa um novo tempo sobre o nosso casamento. Nesse lugar passamos a nos ouvir e nos conhecer verdadeiramente. Fomos pouco a pouco nos desfazendo de bagagens e expectativas externas falsas sobre nós mesmos e sobre o sexo. Decidimos parar de ser aquilo que esperávamos, ou de tentar reproduzir algo, e simplesmente escrever juntos a nossa história de vida sexual. Isso é o que chamamos de "criar a própria identidade do sexo" do casal.

A Bíblia nos afirma que o leito conjugal deve ser conservado puro (Hebreus 13:4). Podemos concluir que ter uma identidade do sexo dentro do casamento é um conselho bíblico. Afinal, manter algo puro e santo é fugir dos moldes externos e viver de acordo com a vontade de Deus. Sendo assim, criar uma identidade do sexo protege o casamento, pois, ao nos sentarmos em rodas de conversas com outras pessoas que se gabam de quantas vezes na semana elas têm relação sexual, sabemos que o que importa é quantas vezes funciona para nós como casal. Ao vermos cenas em filmes em que casais se comportam de tal forma, não devemos nos comparar, pois sabemos que o que vivemos dentro de quatro paredes é só nosso, é único. É *uma* só carne.

> Ao entrarmos em um quarto para nos tornarmos um com o nosso cônjuge, estamos diante do nosso Pai, que se alegra conosco ao desfrutarmos desse momento.

Ao entrarmos em um quarto para nos tornarmos um com o nosso cônjuge, estamos diante do nosso Pai, que se alegra conosco ao desfrutarmos desse momento. Foi Deus quem criou o sexo e ele é um presente! É puro, santo e sagrado. Isso quer dizer que a vida sexual que o Senhor tem para os seus filhos é livre de manchas. Podemos nos desfazer de experiências passadas, expectativas falsas, pensamentos equivocados e desfrutar de uma vida sexual completa.

Homem, a máquina do sexo?

por Rafael Carrilho

Minha mãe sempre me conta uma história de quando comecei a entender mais sobre o meu corpo, aos seis anos. Ela diz que eu me desesperei com a ideia de só ter duas "sementinhas" e, consequentemente, só poder ter dois filhos. Como se pode perceber, desde pequeno eu sempre tive um sonho muito grande de me casar e formar uma família. O resultado disso foi um adolescente que, a cada semana, imaginava-se a se casando com uma menina diferente e vivendo felizes para sempre.

Ainda na adolescência, depois de um dia normal de culto na minha igreja, eu e meus amigos combinamos de ir dormir na casa de um deles que estava de mudança. A casa estava vazia e a piscina era só nossa. Fizemos as típicas cenas masculinas da adolescência: pulamos do telhado direto para a piscina e assamos um churrasquinho. Conversamos, rimos e nos divertimos muito durante toda a tarde. Chegando a noite, fomos dormir todos no mesmo quarto. Quatro meninos, ninguém em casa e uma televisão com acesso a todos os canais. O que poderia dar errado? Pois é... muita coisa.

Um dos nossos amigos sugeriu colocar em um canal no qual ele sabia que naquele horário estava passando um filme adulto. E ali ficamos nós vendo aquilo. Olho para o lado e todos estavam debaixo da coberta, vidrados no filme e fazendo a mesma coisa: se masturbando. Eu sempre fui o mais ingênuo dos meus amigos, mas ainda assim segui o fluxo. Mesmo sem entender como fazer ou o que esperar. E foi assim, em um sábado à noite pós-culto, com os meus amigos da igreja, que tive o meu primeiro contato com a pornografia e a masturbação.

A partir daquele momento, a minha cabeça ingênua de adolescente apaixonado se transformou completamente. Um novo Rafael parecia ter surgido. Comecei a me descobrir, a entender mais sobre o mundo masculino e a tentar me encaixar nesse padrão que via em meus amigos, nas rodas de conversas e nos vídeos pornográficos aos quais assistia. Aos poucos fui formando uma perspectiva mecânica sobre o sexo.

Entrei para o mundo da pornografia e da masturbação, mas sempre sentia uma culpa enorme. Me sentia sujo, mas não conseguia parar. Eu não sabia muito bem como buscar ajuda ou com quem conversar sobre essa culpa. Os meus amigos falavam abertamente sobre pornografia e masturbação, mas não falavam sobre vergonha.

Fui percebendo que, no mundo masculino, pouco se fala sobre vergonha e culpa. Parece que fomos programados apenas para dominar, e não para demonstrar as nossas fraquezas. Fui ensinado que os homens de verdade são durões, precisam contar vantagem sobre o tamanho do seu pênis, ou sobre com quantas mulheres transam. Os vídeos pornográficos me vendiam a imagem de um homem que comanda todo o cenário sexual, sempre pronto, disposto e com sede por sexo — ele é o protagonista do prazer, *a máquina do sexo*.

Em contrapartida, o papel da mulher seria somente servir aos prazeres do homem. A figura feminina não tem interesse em fazer do jeito que ela prefere, sabe muito bem o que fazer para o homem, não sente nenhum tipo de dor ou desconforto. O seu corpo "perfeito" e padronizado nada mais é que um instrumento de satisfação masculina.

Diante de todos esses pensamentos equivocados sobre o que seria a verdadeira masculinidade, eu entrava em muitos conflitos, porque não me encaixava perfeitamente em todas aquelas descrições. Eu olhava para o meu pai — meu maior exemplo de hombridade — e via um homem calmo e respeitoso. Não o via olhando para mulheres na rua, ou fazendo qualquer tipo de comentário pejorativo. Ele sempre amou minha mãe de uma forma tão linda e pura... E agora, em quem eu deveria acreditar? Qual padrão eu deveria seguir?

Como um típico adolescente, escolhi o caminho dos meus amigos. Afinal, eu queria me encaixar no grupo e passar mais tempo com eles. E assim, durante muitos anos, fui formando a minha identidade como homem baseada em vídeos pornográficos, em conversas superficiais com os outros homens e em pressões sociais. Quando me casei, percebi que, na verdade, eu deveria ter seguido o exemplo do meu pai.

Os danos causados pela pornografia são diversos e vão muito além de uma impureza mental. Quem tem acesso a ela sabe que ali é um buraco sem fundo — você nunca está satisfeito. É como uma droga: quanto mais você experimenta, mais você quer; quanto mais você usa, menos efeito ela tem. A pornografia te faz querer experimentar uma versão dela cada vez mais intensa. A deturpação que começa na mente vai, no futuro, alterar o comportamento. Isso é real. Existem muitos relatos de homens que se tornaram mais violentos conforme viam pornografia mais violenta. Ou que passaram a querer experimentar uma vida sexual fora do casamento, para desfrutar coisas que a pornografia fornecia, mas o sexo dentro do matrimônio, não. Esses são apenas pequenos exemplos dos muitos efeitos maléficos que uma vida de impureza sexual pode trazer.

Ao decidir lutar diariamente contra os atrativos de uma vida perversa, meu coração se tornava mais puro e preparado para desfrutar de uma vida sexualmente saudável e realizada futuramente.[3] Porém, mesmo fazendo essa boa escolha e chegado virgem até o casamento — o que não acontecia muito no meu círculo de amigos cristãos —, as minhas experiências com a impureza sexual me trouxeram consequências. A página da história que eu escreveria com a minha esposa não estava mais em branco. Ela tinha rasuras, algumas manchas e umas imagens já desenhadas. Entrei para o casamento com expectativas falsas e ideias deturpadas sobre o que seria o sexo.

Tive que lidar com várias questões que iam comigo para a cama ao me descobrir sexualmente com a minha esposa. O sexo era bem diferente daquilo reproduzido por muitos anos em minha mente. Comecei a perceber que eu não era aquela máquina sexual descrita nos filmes ou muitas vezes esbanjada pelos meus amigos. Eu tinha sentimentos, inseguranças, dias bons e ruins. Do outro lado, estava a mulher que eu mais amava, e eu também queria aprender a lhe dar prazer.

Graças a Deus e à Sua misericórdia, eu e a Fernanda decidimos escrever uma nova história. Passamos a ressignificar e reconstruir a nossa ideia sobre o sexo. E foi um processo longo. Ali, deixei de lado vários estigmas sobre a postura do homem dentro da relação sexual. Fazia o exercício de reorientar o foco para o prazer da minha mulher e a aprender que não teria problema eu não querer fazer sexo todo dia, toda hora e em todo lugar. Isso não me fazia menos homem, mas sim mais

[3] Para quem ainda está nessa batalha ou quer ajudar outros a saírem dela, recomendo o livro RIGNEY, Joe. *Mais que uma batalha*. São Paulo: Pilgrim, 2022.

humano. Um ser humano com suas fraquezas, sentimentos e limitações.

Finalmente, descobri o sexo de verdade com a minha esposa. Como foi bom limpar a minha mente e o meu coração de tantas amarras que eu carregava. Como é bom descobrirmos juntos o que gostamos e queremos fazer entre quatro paredes. Ali construímos algo único e duradouro. Nesse lugar, eu não precisava me provar o típico homem para ninguém, e sim me esforçar em ser o melhor homem para a minha esposa.

Passei a buscar exemplos bíblicos e encontrei um bom marido segundo a vontade de Deus: Cristo. Ele amou a sua esposa, a Igreja, dando a sua própria vida por ela. Ele é desinteressado em apenas agradar a si mesmo e morre para satisfazer eternamente a sua amada.

Ao me despir dos estereótipos sobre o homem na cama e caminhar em direção a um homem segundo o coração de Deus, fui me libertando do meu próprio eu e vendo o que Deus poderia fazer para além de mim. Eu não estava construindo algo só para mim. Limpar a minha mente e ter um comportamento honroso e respeitoso com a minha esposa, e consequentemente com a minha futura família, seriam sementes para os nossos filhos e para a nossa comunidade. Nossa responsabilidade como homem de Deus vai além das quatro paredes; ela pode chegar a outras pessoas e se estender a várias gerações.

Aperfeiçoando

PERGUNTAS

1. Quais foram/são as suas expectativas com relação ao que o sexo deve ser?
2. De que forma o que as pessoas ou a mídia falam sobre o sexo tem influenciado sua visão sobre a área sexual?
3. Caso você seja casado(a), acredita ter uma identidade do sexo dentro do seu casamento?
4. Se a resposta anterior for "não", de que forma vocês podem juntos criar uma identidade só de vocês?

SUGESTÕES

Para casados:

Separe um momento com o seu cônjuge para conversar abertamente sobre a vida sexual de vocês. Exponha fraquezas, medos e expectativas. Aproveite a conversa para ouvir e dividir coisas que os têm agradado ou não na área sexual, e encontrem pontos em que vocês possam melhorar.

Para namorados/noivos:

Conversem sobre quais têm sido as maiores dificuldades de cada um ao manter a pureza sexual dentro do relacionamento.

Aproveitem o momento para definir os limites de intimidade entre vocês e de que forma podem lutar juntos por um relacionamento mais puro.

ORAÇÃO

Para casados:

Faça uma oração com o seu cônjuge, entregando a Deus a vida sexual de vocês. Peça ao Senhor que os ajude a criar uma identidade sexual, para que o sexo se torne um lugar santo e seguro.

Para namorados/noivos:

Se você está em pecado na área sexual, seja tendo acesso a qualquer tipo de pornografia, seja vivendo o sexo fora do casamento, faça uma oração de arrependimento a Deus. Abra o seu coração e exponha diante do Senhor as suas dificuldades nessa área. Peça a Ele que te ajude e fortaleça sua fé para seguir o caminho da pureza sexual.

Capítulo 3

INCOMPATIBILIDADE É UMA OPORTUNIDADE

"Pois Deus não nos deu espírito de covardia, mas de poder, de amor e de equilíbrio."

2Timóteo 1:7

QUEM É ESSA PESSOA?

É muito comum vermos histórias de duas pessoas completamente diferentes se tornarem um casal. Essa atração que temos pelo que é oposto a nós parece ser inconscientemente proposital, como se quiséssemos buscar aquilo que nos falta. Geralmente, os mais agitados se atraem pelos mais calmos;

os comunicativos, pelos mais calados; os extravagantes, pelos mais discretos. Claro que isso não é uma regra, porém, se observarmos os nossos pais ou os casais à nossa volta, existem grandes chances de eles formarem uma dupla com características opostas.

Eu e o Rafa não fugimos desse padrão. Ele é silêncio, eu sou barulho. Ele é observador, eu sou desatenta. Ele come o mesmo doce por uma semana, eu devoro em um minuto. Ele deixa tudo para a última hora, eu me antecipo em tudo. Ele anota no celular, eu sou do papel. Ele relaxa com música clássica, eu me estresso com tantos instrumentos tocados ao mesmo tempo. Ele sonha longe, eu sou pé no chão. Ele vai ao restaurante e quer provar algo diferente, eu sempre peço a mesma coisa. Ele gosta de aventura, eu amo uma programação organizada. E essas são apenas algumas das nossas centenas de diferenças.

Essa atração que temos pelo que é oposto a nós parece ser inconscientemente proposital, como se quiséssemos buscar aquilo que nos falta.

Quando nos conhecemos, o que mais nos aproximou foram as nossas afinidades. Ambos havíamos tido experiências morando fora do país e amávamos viajar. Nós dois falávamos outros idiomas e éramos apaixonados por conhecer culturas diferentes. Amávamos a música e a dança. Nascemos e crescemos em um ambiente cristão. Tanto eu quanto ele tínhamos habilidades com trabalhos manuais. Se naquela época cada um de nós tivesse feito um currículo de afinidades, com certeza os nossos se encaixariam. Ao observar as nossas compatibilidades, quem nos via de fora tinha certeza de que éramos perfeitos um para o outro. Assim, tivemos o apoio de todos os nossos amigos e da nossa família para o nosso relacionamento acontecer.

Parecia um sonho. Eu nunca tinha conhecido alguém tão parecido comigo quanto o Rafa. Podíamos conversar por horas e nunca era suficiente. Sonhávamos com o futuro e todos os nossos planos se encaixavam. Nossas comemorações de aniversário de namoro eram sempre um evento à parte. Como dois bons românticos, nos dedicávamos muito a essas datas. Escrevíamos músicas, fazíamos cartas e presentes à mão, além de serenatas e apresentações. O nosso noivado foi um exemplo disso. O Rafa organizou um *flash mob* com todos os nossos amigos e familiares em um parque. Foram semanas de ensaio e dedicação para que esse dia fosse perfeito. E foi. No final daquele dia mágico, disse "sim" para o homem da minha vida em frente às pessoas que eu tanto amava. Como dizer "não" para algo que me apontava um futuro brilhante ao viver com alguém tão compatível? E assim fomos para o casamento.

No nosso segundo ano de casados, decidimos ir morar na Espanha, para que o Rafa fizesse um mestrado. Planejamos e juntamos dinheiro suficiente para vivermos lá por três meses até que ele conseguisse um emprego. Tudo organizado, malas prontas e nos mudamos de país.

Porém, chegando lá, tivemos um choque de realidade muito grande. A Espanha passava por uma crise financeira, e os três meses sem trabalho viraram cinco. Nosso dinheiro foi acabando e um estresse financeiro apareceu. Também me deparei com uma crise de identidade muito forte ao chegar em um país no qual eu não conseguia me comunicar, por ainda não falar o espanhol. Além do fato de ter tentado continuar com o trabalho que eu tinha no Brasil e isso não funcionar. Dois jovens casados, em outro país, com o dinheiro acabando, em crise de identidade e longe de tudo e todos. Era o cenário perfeito para as incompatibilidades começarem a aparecer.

E apareceram.

Eu havia me casado com um homem calmo e seguro do futuro, mas comecei a conhecer um Rafa preocupado e ansioso. Ele havia se casado com uma mulher feliz e comunicativa, mas se deparou com uma Fernanda triste e calada. Conforme os dias iam passando e as dificuldades aumentando, conhecíamos nossos lados que antes passavam despercebidos, ou pelo menos ignorados.

Nossas fraquezas, antes maquiadas pela alegria de uma vida estável e romântica, começaram a ficar cada vez mais expostas. Era como se sempre tivéssemos usado óculos com o grau errado: as compatibilidades e atitudes românticas nos davam uma visão enviesada sobre o outro. Quando as nossas maiores diferenças surgiram, aquelas lentes foram trocadas e passamos a enxergar o outro como ele realmente era.

Quando as nossas maiores diferenças surgiram, aquelas lentes foram trocadas e passamos a enxergar o outro como ele realmente era.

Os dias ensolarados do romance se tornaram nublados e sem cor. As atitudes românticas se iam e davam lugar às lutas entre um casal imperfeito. A lua de mel acabou, a realidade chegou. Que assustador!

Nesse momento, eu e o Rafa começamos a entrar em um ciclo do qual não conseguíamos sair de jeito nenhum. Parece que, quando o nosso olhar muda sobre o outro, tudo muda. As virtudes que você admira no seu cônjuge perdem valor diante dos defeitos que você já não suporta mais. Defeitos que antes eram um mínimo detalhe comparados a tantas qualidades se tornam protagonistas. Esse novo olhar sobre o outro trouxe um novo tempo para o nosso casamento. Entramos em um ciclo interminável de atritos e brigas.

> Parece que, quando o nosso olhar muda sobre o outro, tudo muda. As virtudes que você admira no seu cônjuge perdem valor diante dos defeitos que você já não suporta mais.

A instabilidade financeira e emocional nos deixava à flor da pele. A única forma que encontramos de demonstrar a nossa insatisfação com aquela situação era através do descontentamento no nosso relacionamento. Tudo era motivo de briga. A louça suja não lavada no horário ou uma resposta mais ríspida eram sempre a última gota d'água de um copo que não parava de transbordar. As discussões que antes eram resolvidas em minutos viraram horas nas madrugadas. Nossas falas se cruzavam e eram mal-interpretadas um pelo outro. Havia muito choro e o buraco ia ficando cada vez maior.

Nesse ponto, o Rafa chegou ao seu limite. Aquele cenário, além de não ser o que ele havia planejado para o nosso casamento, era algo totalmente novo para ele. Em seu contexto familiar passado, ele nunca havia presenciado uma discussão dos seus pais. Muito menos discussões tão intensas como as nossas. Inclusive, se tinha algo que ele detestava na vida, era um conflito. Ele sempre foi muito pacífico e, durante o nosso namoro, já dava alguns sinais de não saber lidar com os problemas entre nós.

Em contrapartida, aquele cenário turbulento era algo totalmente normal para mim. Por mais que fosse horrível de viver, era bem familiar. Eu sabia muito bem entrar numa briga, como agir ou o que falar. Não havia novidade, nem desconforto. Se tinha algo em que eu era PhD na vida, era em conflitos no casamento. Muitas vezes eu cheguei a pensar que, mesmo tendo me casado com o Rafa para fazer diferente, não tinha jeito — esse era o caminho de todo casamento. As pessoas brigam, e brigam, não encontram uma solução, botam o problema debaixo do tapete e, no final, sobrevivem. Pelo menos os meus pais sobreviveram.

Eu abracei esse pensamento e não queria mais largá-lo, enquanto o Rafa se desesperava diante de toda aquela situação. Eu só sabia brigar e não estava disposta a encontrar outro caminho. Ele não sabia brigar e queria continuar não sabendo.

Depois de muitos meses nesse círculo vicioso, conhecemos, na nossa igreja lá na Espanha, um casal de americanos, o Deric e a Amber. Eles eram missionários e estavam morando ali há alguns anos com seus três filhos. Eles nos "adotaram" e começamos a construir uma grande amizade. Passamos a almoçar na casa deles em muitos domingos nos quais nos sentíamos sozinhos, além de eles nos levarem algumas vezes para viajar. Como eu tinha muito tempo disponível, por algumas noites eu ficava com seus três filhos para que eles pudessem sair para jantar ou passar um tempo juntos.

A vida deles foi um bálsamo durante a nossa estadia na Espanha. Aquela casa tinha uma paz que nós não conhecíamos no nosso lar, mesmo vivendo em contextos parecidos. Eles também estavam fora de sua cultura, mal falavam o idioma local e ainda criavam três crianças no meio de tudo isso. Eu os observava atentamente. O casal não era perfeito e, mesmo depois de muitos anos de casados, se amavam e se respeitavam. Seus filhos os olhavam com muita admiração e ouviam aquilo que eles falavam. Muitas vezes eu não queria voltar para a nossa casa; eu só queria ficar ali naquele ambiente de paz.

O Rafa encontrou nessa amizade uma oportunidade de pedido de socorro para nós. Ele insistia que deveríamos buscar ajuda com esse casal, e eu relutava. Eu não queria que as pessoas soubessem que, por trás do nosso relacionamento perfeito e compatível, existiam duas pessoas que já não se entendiam mais. Ironicamente, eu me envergonhava das nossas brigas — logo eu, que era a "craque" em conflitos, não sabia confrontar essa realidade. Me parecia muito mais fácil estar na posição de quem só briga do que passar por um processo de autoconhecimento e correção.

Eu não queria que as pessoas soubessem que, por trás do nosso relacionamento perfeito e compatível, existiam duas pessoas que já não se entendiam mais.

Eu relutei por muitos meses, até que um dia o Rafa me avisou que tinha marcado um encontro com o Deric. Ele iria pelo menos abrir o lado dele e dizer como estava se sentindo. Ele me disse que não havia mais a possibilidade de passar sozinho por tudo o que ele estava passando. Eu não me senti confortável, mas respeitei. Depois daquele dia, a Amber me chamou para conversar por iniciativa própria. "Eu sabia que isso iria acontecer", pensei. Fiquei furiosa.

Chegando à conversa com ela, eu desabei. A verdade é que realmente estava insustentável viver aquela situação sem pedir ajuda. A partir dali, eles se disponibilizaram a nos acompanhar e a fazer conosco um estudo de um livro sobre casamento. Foram algumas semanas de encontros e de um desconforto gigantesco ao sermos individualmente confrontados. Porém, eu realmente não sei o que teria sido do nosso casamento se não tivéssemos buscado ajuda.

É muito comum que casais entrem nesse ciclo de conflitos como nós entramos. Mais comum ainda são os que passam por tudo isso sozinhos e relutam em pedir socorro. Por que temos tanta dificuldade em buscar ajuda? Porque buscar ajuda significa olhar para si mesmo e quebrar um orgulho que tomou um espaço considerável no relacionamento. Uma vida de conflitos é uma vida na qual o nosso dedo e o nosso olhar estão o tempo todo direcionado para o outro. "As coisas não funcionam porque ele não melhora." "O meu casamento está indo de mal a pior porque ela é o problema." Esses são pensamentos típicos de quem não olha para si. Para mim, viver aquelas situações de atrito era, de certa forma, muito confortável. Afinal, eu estava sentada no trono da razão, olhando o Rafa de cima para baixo, e lá de cima não dava para ver que boa parte dos acertos precisaria começar em mim.

Uma vida de conflitos é uma vida na qual o nosso dedo e o nosso olhar estão o tempo todo direcionado para o outro.

Quando a fase de lutas entre o casal surge no relacionamento, um princípio pode ser enraizado em nosso coração: *o meu cônjuge é o problema*. Isso é mentira. Uma das maiores verdades que aprendemos com aquele casal de americanos, e passamos a levar pro resto das nossas vidas, é que nós não somos duas pessoas jogando em times diferentes, lutando um contra o outro. Devemos ser um time de duas pessoas que lutam juntas contra o problema.

Isso nos trouxe uma nova perspectiva. Passamos a enxergar como o nosso casamento havia se transformado em um campo de batalha, onde éramos os nossos maiores inimigos. Contudo, eu precisava entender que o meu problema não era o meu marido, e sim a sua dificuldade em lidar com os conflitos — e eu precisava ajudá-lo nisso. O Rafa, por sua vez, parou de lutar contra mim, e juntos passamos a lutar contra o meu orgulho. E assim fomos fazendo com todos os problemas que apareciam. Isso mudou a nossa visão um do outro e com o tempo fomos restaurando uma imagem que havíamos perdido: o *time de dois é mais forte do que o time de um.*

A união desse time também protege o casamento de opiniões externas perigosas. No auge das nossas lutas, lembro que eu e o Rafa começamos a nos juntar a outras pessoas para falar mal um do outro. Enquanto entendíamos o outro como um problema, nos parecia um alívio achar outras pessoas que pensavam o mesmo que nós. Porém, esse caminho é perigoso. Podemos acabar nos abrindo com pessoas não confiáveis, ou simplesmente alimentar um sentimento errado.

Enquanto entendíamos o outro como um problema, nos parecia um alívio achar outras pessoas que pensavam o mesmo que nós.

Quando nós nos juntamos como um time, ao vir alguém dar alguma opinião sobre o meu marido em sua ausência, eu passei a defendê-lo. E ele fazia o mesmo por mim. Dessa forma, nos sentíamos protegidos e sabíamos que podíamos contar um com o outro. As críticas em público passaram a desaparecer e deram lugar aos elogios. O lugar de reclamação virou um lugar de honra.

Não lutamos contra o nosso cônjuge, mas contra o pecado que existe nele. Como está escrito em Efésios 6:12:

> Pois a nossa luta não é contra seres humanos, mas contra os poderes e autoridades, contra os dominadores deste mundo de trevas, contra as forças espirituais do mal nas regiões celestiais.

E lutamos contra o pecado que existe em nós também. No capítulo 7 de Romanos, Paulo fala sobre a sua luta contra o mal e sua dificuldade em fazer aquilo que é bom. Ao entendermos que todos nós estamos passando por uma luta contra o nosso próprio pecado, podemos olhar o nosso cônjuge com misericórdia e entender as suas lutas, assim como entendemos as nossas. Quando entramos em um campo de batalha contra o outro, Deus não está em nenhum desses times. Afinal, Deus não luta contra nós, Ele luta conosco e por nós. E juntos lutamos contra o mal.

As lentes que nos fazem enxergar só o pior do outro distorcem a realidade. Elas estão simplesmente sujas. E essa sujeira é o nosso próprio pecado. Assim, o problema de um casamento que vai de mal a pior não são os cônjuges, mas os pecados que eles carregam. E isso é uma batalha espiritual.

As lentes que nos fazem enxergar só o pior do outro distorcem a realidade. Elas estão simplesmente sujas. E essa sujeira é o nosso próprio pecado.

Se existe um lugar onde o mal faz morada, é no abismo criado entre um casal que luta um contra o outro. Por outro lado, se existe um lugar no qual Deus trabalha em nós, é em nossas fraquezas. Quando os meus olhos estão fixos nos defeitos do meu cônjuge, eu perco a oportunidade de deixar que Deus trabalhe em mim. As lentes verdadeiras dentro de um casamento precisam estar limpas do nosso próprio eu, para que possamos enxergar o nosso cônjuge como Deus o vê. Sempre que as incompatibilidades e diferenças começarem a deformar a sua visão sobre o seu cônjuge, peça que Deus te ajude a ver com os olhos do Senhor. A visão que Deus tem sobre cada um de nós é a realidade sobre quem verdadeiramente somos.

O conceito de formarmos um time dentro do casamento reforça a verdade bíblica de que homem e mulher devem se tornar uma só carne (Gênesis 2:24). Muitos acabam por entender essa passagem bíblica somente como uma referência ao ato sexual. Porém, ela abrange todas as áreas da vida do casal: física, emocional, espiritual, financeira e moral. Quando nos casamos, não fizemos um contrato limitado às virtudes que enxergamos um no outro ou pelas diversas compatibilidades. Nos tornamos um e nos comprometemos com o nosso cônjuge como um todo. Assim, por mais que tenhamos nossas individualidades, o entendimento de que somos um tampa o buraco das incompatibilidades e forma uma ponte de conexão entre nós. Somos uma só carne, assim como um só time.

O PODER DA COMUNICAÇÃO

Vivemos em um tempo no qual a comunicação entre as pessoas está sempre por um fio. Todos têm muitas opiniões e estão dispostos a lutar com unhas e dentes por suas verdades. Se você entrar agora mesmo em suas redes sociais, ou ligar a televisão, vai encontrar diversas pessoas falando sem parar. Vivemos em uma cultura em que os indivíduos, mais do que nunca, estão com sede por serem ouvidos e desesperados por monólogos.

O resultado disso é que muitas vezes essa ânsia pela compreensão dos que estão à nossa volta acaba nos colocando em um bolha de convivência com pessoas similares a nós. Selecionamos o que ouvimos, assim como selecionamos estar perto de nós somente os que vão nos compreender. Esse comportamento de viver apenas com aquilo que nos agrada e com o que temos afinidade é a causa de nos apavorarmos diante das incompatibilidades. O pensamento contrário ao nosso se torna insuportável, e atitudes com as quais não concordamos precisam ser extintas.

Selecionamos o que ouvimos, assim como selecionamos estar perto de nós somente os que vão nos compreender.

Porém, preciso te avisar de algo: o casamento é o lugar das incompatibilidades. No decorrer da vida, até podemos selecionar amigos compatíveis conosco e eliminar os que não nos agradam, o que eu pessoalmente não considero uma escolha saudável. Mas trocar de cônjuge a cada incompatibilidade é uma ideia insustentável.

As diferenças fazem parte de todo tipo de relacionamento. Nós nunca pensaremos totalmente igual a nossos pais, familiares ou amigos. E isso é muito benéfico para uma comunidade em crescimento. As nossas diferenças nos tiram da nossa zona de conforto, porque nos dão a oportunidade de nos colocar no lugar do outro para compreendê-lo. Porém, diante de um cenário com tantos divórcios por

As nossas diferenças nos tiram da nossa zona de conforto, porque nos dão a oportunidade de nos colocar no lugar do outro para compreendê-lo.

"falta de compatibilidades", passamos a acreditar que as diferenças são realmente as maiores causadoras das separações. Quero te convidar a ter uma nova perspectiva.

Se o casamento é naturalmente um lugar em que as incompatibilidades aparecem, qual caminho devemos tomar para que ele não se perca diante das diferenças? O caminho da comunicação. O maior perigo para o casamento não são as diferenças entre o casal, mas o acúmulo das várias faltas de resolução de conflitos. A incompatibilidade é um lugar de oportunidade de conexão. A falta de comunicação é um terreno fértil para a desconexão.

Quando as incompatibilidades entre eu e o Rafa surgiram fortemente no nosso terceiro ano de casados, o primeiro problema que enfrentamos foi a falha de comunicação. Era como uma bola de neve. Aquilo que desagradava em um se tornava explícito para o outro e era então comunicado de forma errada. Nessa tentativa de comunicação novos atritos surgiram, e aquilo que tinha começado pequeno ficava cada vez maior.

A comunicação passou de um lugar de encontro e conexão entre nós para um campo de batalha pela razão. Depois de meses vivendo essa batalha, nós dois nos cansamos e optamos por outro caminho: o de cortar a comunicação. "Ele não vai me entender mesmo." "Nem adianta falar isso com ela." O silêncio tomou o lugar das brigas. Levantamos uma bandeira branca falsa ao criarmos um ambiente de descontentamento silencioso. Um abismo entre nós era formado enquanto caminhávamos em direções opostas à comunicação.

Levantamos uma bandeira branca falsa ao criarmos um ambiente de descontentamento silencioso.

Ao buscarmos ajuda com aquele casal de americanos, a primeira coisa que fomos direcionados a fazer foi reconhecer os nossos próprios erros e nos tornar um time contra os problemas. A segunda foi aprender a como lutar juntos de forma eficaz. Foi quando aprendemos sobre a comunicação que geramos conexão.

Tartaruga X Tempestade

No nosso estudo de casais, lemos o livro *Making marriage simple* [Tornando o casamento simples], de Harville Hendrix e sua esposa Helen Hunt.[1] O livro aborda muito bem o tema da comunicação; os valores ensinados ali foram um divisor de águas em nosso relacionamento. Harville e Helen afirmam que, geralmente, um casal é formado por dois tipos de pessoas: os maximizadores e os minimizadores.

Os maximizadores — também conhecidos como *tempestades* — são aquelas pessoas que lidam com os sentimentos colocando tudo para fora. Elas não guardam suas tensões e são impulsivas. No geral, são pessoas mais comunicativas e extrovertidas. Do outro lado estão os minimizadores — também conhecidos como *tartarugas*. Ao contrário da tempestade, eles expressam os seus sentimentos colocando tudo para dentro. Mergulham em seus sentimentos de forma solitária; sua forma de lidar com as situações da vida é primeiramente ficando em silêncio. Os minimizadores são, em geral, pessoas mais introvertidas e tímidas. Quando esses dois perfis entram

---

[1] HENDRIX, Harvey; LAKELLY, Helen. *Making marriage simple*: 10 relationship-saving truths. Londres: Harmony, 2014.

em conflito, é natural um tipo de comportamento: a tempestade cresce e a tartaruga se esconde.

Eu e o Rafa nos encaixamos perfeitamente nesse padrão. Você já deve imaginar quem é a tempestade e quem é a tartaruga em nosso casamento. Sempre que entrávamos em um conflito, a minha maneira de lidar era falando sem parar e querendo ser ouvida de todas as formas possíveis. Já o Rafa queria entrar no seu casco e ficar em silêncio. Quanto mais eu falava, mais ele se escondia. Quanto mais ele se escondia, mais eu não me sentia ouvida e queria falar. Era o perfeito ciclo "*tempestade x tartaruga*".

Os nossos diferentes contextos nos ajudaram muito a ter esses padrões. Ao vir de um ambiente familiar no qual os problemas eram resolvidos no grito, eu tinha muita facilidade em colocar tudo para fora. O Rafa, por crescer em um lar sem presenciar grandes conflitos, não sabia como lidar com eles e preferia ficar em silêncio. Quando nos reconhecemos como *tempestade* e *tartaruga*, tudo ficou mais fácil de compreender.

Para entender como podemos melhorar a comunicação dentro do casamento, precisamos primeiro entender em que estamos errando dentro de nossas características como indivíduo.

Passamos para o próximo passo: aprender a nos comunicar de forma eficaz, sendo pessoas que se expressam de formas totalmente diferentes.

Para entender como podemos melhorar a comunicação dentro do casamento, precisamos primeiro entender em que estamos errando dentro de nossas características como indivíduo. Esses erros são mais comuns do que a gente pensa. Conversando com outros casais, vemos o quão comum é, dentro de nossas diferentes personalidades, lidarmos com os mesmos problemas dentro da comunicação.

A pessoa *tempestade* do relacionamento, por ter mais naturalidade com a comunicação, acredita que fazer isso de forma exagerada é o caminho que leva à resolução. Assim, ao não ter domínio sobre suas falas e emoções, a tempestade tem grande facilidade também em explodir. Porém, essa ideia de *quanto mais falo, mais serei ouvido* tem efeito contrário sobre a tartaruga que está ouvindo: ela se esconde mais.

Tive muita dificuldade de entender que eu realmente precisava melhorar na comunicação. Até porque sempre me orgulhei de ser boa nisso. Geralmente pessoas comunicativas crescem em ambientes onde são muito valorizadas por terem voz. Vivemos em um mundo no qual quem fala bem e expressa os seus sentimentos de forma sincera é uma pessoa admirável. Entretanto, esquecemos que talvez um "bom" comunicador seja um péssimo ouvinte.

Vivemos em um mundo no qual quem fala bem e expressa os seus sentimentos de forma sincera é uma pessoa admirável. Entretanto, esquecemos que talvez um "bom" comunicador seja um péssimo ouvinte.

Foi muito importante eu entender que, na maioria das vezes em que eu entrava em um conflito com o Rafa, a minha intenção era na verdade criar um monólogo. Além de ter falas de ataque, o meu ouvir nada mais era do que uma oportunidade de absorver informações para contra-atacar. Isso só afastava o Rafa ainda mais. Quanto mais eu crescia, mais ele se escondia.

Outro erro comum em uma pessoa tempestade é o descontrole das emoções. Entramos para um conflito com os nervos à flor da pele e temos muita facilidade em chorar ou exagerar as emoções, enquanto do outro lado está a tartaruga, assustada diante de tanto sentimentalismo. Eu julgava o Rafa como uma pessoa fria e calculista ao lidar de forma tranquila com uma discussão ou por não tomar uma atitude drástica quando eu estava chorando. Eu queria que ele me tirasse daquele mar de emoções descontroladas, quando a única responsável por assumir o controle delas deveria ser eu.

A questão não é que a tempestade deve abandonar a sua essência e deixar de ser alguém sensível. Mas ela precisa aprender a lidar melhor com os seus sentimentos. Muitas vezes, eles são os responsáveis por deformar a nossa visão sobre os problemas, inclusive aumentando muitos deles. Eu tive que aprender a racionalizar.

Algo que me ajudou nesse processo foi a terapia. Existem coisas que queremos resolver por nós mesmos, enquanto bons psicólogos poderiam facilitar muito esse caminho. Foi através da ajuda psicológica que eu consegui ter uma visão ampliada sobre a minha personalidade e aprendi a trabalhar com as minhas qualidades e meus defeitos. Um dos exercícios que a terapeuta me passou, para quando eu quisesse entrar em um conflito com o Rafa, foi o de escrever tudo aquilo que estava sentindo. Mais tarde, com a poeira das emoções já baixa, eu lia tudo o que escrevia e analisava se realmente fazia sentido, ou se havia potencializado os problemas. Na maioria das vezes, eu apagava metade daquela lista. É incrível o poder que os sentimentos descontrolados têm sobre a nossa perspectiva.

Existem coisas que queremos resolver por nós mesmos, enquanto bons psicólogos poderiam facilitar muito esse caminho.

Aprender a me colocar numa posição de me comunicar de forma eficaz (com calma, clareza e racionalidade) e, depois, de ouvir sem julgamentos foi um exercício muito difícil. Afinal, praticar essas atitudes que geravam um momento de conexão, e não de briga, era algo totalmente novo para mim. Porém, ao tomar essas atitudes, pude perceber o Rafa saindo do seu casco e vindo em minha direção.

Falando em tartaruga, você já reparou o quanto temos a tendência de ver a tempestade como vilã e a tartaruga como vítima dentro de um relacionamento? Teoricamente, entendemos que quem fala menos tem menos chance de ofender ou magoar o outro. Até a Bíblia diz que um tolo pode se passar por sábio e inteligente ao se calar (Provérbios 17:28). Porém, os erros da tartaruga, por mais que sejam silenciosos, não deixam de ser erros.

Uma das ideias mais equivocadas da tartaruga é achar que não se comunicar e colocar tudo para debaixo do tapete é a melhor solução. Afinal, a tempestade não para de falar e só quer ter a razão. Realmente, se esconder diante de uma tempestade que só cresce parece ser o caminho mais seguro. Porém, a tartaruga conta com a grande possibilidade de um dia explodir, depois de tanto guardar seus sentimentos.

Eu me assustei algumas vezes em conflitos com o Rafa, quando "de repente" ele me dizia várias coisas que ele não aguentava mais em nosso relacionamento. O meu olhar era de indignação diante de tanto descontentamento vindo de uma pessoa que sempre pareceu estar bem. Se a tartaruga não se comunicar e só se enfiar dentro do casco, uma hora ela vai sair com força, desentalar de uma vez tudo o que está sentindo; será difícil chegar a uma única solução para tantos problemas apresentados de uma vez.

Nesse caminho do silêncio, a tartaruga tende a querer ser compreendida pelos outros sem precisar se comunicar. Uma vez ouvi uma frase de uma conselheira que eu nunca mais esqueci: "A única pessoa que tem o direito de querer ser entendida sem falar é um bebê". A única forma que o bebê tem de demonstrar algo que lhe incomoda é o choro, pois ele ainda não sabe falar. Cabe aos pais descobrir o que aquele bebê está sentindo e como podem ajudá-lo. Uma vez que aprendemos a falar, tudo muda. A comunicação é uma arma poderosa para deixar claro o que sentimos e do que precisamos. Se não utilizada dessa forma, ela se tornará uma arma contra o seu cônjuge.

A comunicação é uma arma poderosa para deixar claro o que sentimos e do que precisamos. Se não utilizada dessa forma, ela se tornará uma arma contra o seu cônjuge.

Ao longo dos anos, convivemos com casais que também têm uma tartaruga no relacionamento e percebemos que ela acaba por se tornar uma pessoa ressentida e magoada. A falta de impor limites para a tempestade cria mais espaço para mágoas. Por isso é necessário sair do casco e impor esses limites.

Um relacionamento é feito por duas pessoas que caminham juntas, se corrigem e se ajudam mutuamente. Se a tempestade, por sua natureza, já tem um olhar mais crítico e uma facilidade em corrigir o outro, a tartaruga é exatamente o contrário. Sendo assim, a tartaruga não faz uma escolha nobre pelo silêncio, mas segue o caminho vil da omissão. Ela é omissa em relação aos próprios sentimentos e em suas atitudes. O problema disso é que ela passa a ser omissa com o seu cônjuge também. Em vários momentos nos quais eu precisava de um marido mais firme em seus posicionamentos, encontrava no Rafa alguém que preferia se calar. Se entendemos o relacionamento formado por duas pessoas que se ajudam, compreendemos o perigo da omissão.

Se entendemos o relacionamento formado por duas pessoas que se ajudam, compreendemos o perigo da omissão.

Outro erro comum da tartaruga é o de racionalizar demais. Assim como a tempestade peca no exagero das emoções, a tartaruga peca no exagero da razão. É fato que saber controlar as emoções pode ser algo muito positivo, mas dentro de um relacionamento isso precisa ser moderado. Ao entrar em um conflito, a tartaruga precisa demonstrar aquilo que ela sente e da mesma forma demonstrar que se importa com o que o outro sente. A empatia é capaz de derrubar muros em uma discussão e é o melhor caminho para a conexão. Na minha luta, como tempestade, de tentar sentimentalizar menos os nossos problemas dentro do casamento, a atitude empática do Rafa me ajudava a acalmar os ânimos.

Enquanto um cônjuge se esforça para ter um comportamento que não lhe é natural, ele está facilitando o processo do outro para fazer a mesma coisa. Veja a beleza disso! As atitudes que tomamos diante das nossas diferenças são como engrenagens que funcionam a nosso favor. É a máquina do casamento.

No final das contas, percebemos que a cada dia adquirimos mais qualidades um do outro. Eu me tornava alguém que sabia ouvir mais, enquanto o Rafa aprendia a se comunicar mais. E o melhor: esses exercícios alongavam músculos antes nunca exercitados. Assim, com o passar do tempo, cada vez era mais fácil para nós ter o domínio sobre essas novas habilidades. Nesse caminho, o lugar das incompatibilidades deixou de ser um campo de batalha e virou um espaço de crescimento.

Os três passos do diálogo

Durante esse processo de buscar ajuda, eu e o Rafa já podíamos notar algumas diferenças em nós. Eu me via mais paciente e amorosa e percebia o Rafa mais prestativo e atento. Entender o nosso casamento como um time, reconhecer os nossos próprios erros e conhecer mais sobre as nossas diferenças de personalidade nos fez caminhar em uma mesma direção. O nosso coração estava disposto a se encontrar novamente e tornar o nosso casamento, que antes era só romântico, em algo sólido.

O nosso coração estava disposto a se encontrar novamente e tornar o nosso casamento, que antes era só romântico, em algo sólido.

O último passo, no nosso estudo de casais, era aprender a dialogar. Quando o casal de americanos nos sugeriu um encontro para que pudéssemos praticar o diálogo na frente deles, eu achei uma bobeira. Sempre fui muito comunicativa e, se tinha uma arte que eu achava que dominava, era a da comunicação. Eu pensei que tiraria de letra, e topamos o desafio.

Chegando à casa deles, estudamos juntos o capítulo do livro *Making marriage simple* sobre o passo a passo do diálogo. Ao terminar de ler, eles nos disseram que agora era a nossa vez de praticar. Eu e o Rafa nos olhamos com uma cara assustada, porque o diálogo proposto pelo livro não tinha nada a ver com as palavras que trocávamos durante os conflitos. A conversa que o livro propõe é calma e desarmada. Ninguém entra para sair ganhando ou para ter a razão.

O que fala não ataca e o que ouve também não. Era tudo muito diferente e novo para nós. "Como assim?", eu pensava. "Como eu iria expor para o Rafa as coisas que me desagradavam sem apontar os seus defeitos? Como o Rafa seria capaz de me ouvir sem desistir da conversa?"

E assim começamos. Eles nos pediram que escolhêssemos um tema que era motivo de conflito entre nós e seguíssemos o passo a passo escrito no livro. Depois, nos pediram que a gente se aproximasse fisicamente, nos encostando e virando de frente um para o outro. Foi interessante porque, quando nos pediram isso, percebemos que estávamos virados de lado um para o outro e cada um com os braços cruzados. Nesse momento, comecei a chorar. De certa forma, fazer aquilo era constrangedor. A gente estava fazendo algo que poderíamos ter feito há muito tempo, mas ao invés disso estávamos só nos machucando.

A nossa linguagem corporal diz muito sobre nós e na maioria das vezes deixamos isso passar batido. A simples atitude de nos aproximarmos do nosso cônjuge, de o olharmos nos olhos e tocá-lo já diz muito sobre como entramos para uma conversa.

> A simples atitude de nos aproximarmos do nosso cônjuge, de o olharmos nos olhos e tocá-lo já diz muito sobre como entramos na conversa.

Eu sempre tive dificuldade de encostar no Rafa ou de deixar que ele encostasse em mim nos momentos em que estava muito brava. O Rafa sempre teve dificuldade em olhar nos meus olhos durante uma conversa e buscava algo para ficar brincando com as mãos. Era o cenário perfeito para a desconexão: um olhando para baixo e o outro de braços cruzados. Desarmar o nosso corpo para uma conversa ajuda a desarmar a nossa mente também.

Braços cruzados, olhos para baixo, dedo apontado e voz alta comunicam para a nossa mente — e para a do outro — que estamos prontos para uma batalha. Braços que se entrelaçam, olhos que se encontram, mãos que se acariciam e vozes brandas comunicam que estamos ali dispostos um para o outro.

> Desarmar o nosso corpo para uma conversa ajuda a desarmar a nossa mente também.

Outro ponto importante de um bom diálogo é saber o momento certo de conversar. Muitas vezes, na pressa de querer resolver logo, acabamos escolhendo horas inapropriadas para a conversa. Isso acontecia muito conosco. Eu sempre fui muito noturna; ele, não. Eu queria discutir a nossa relação à noite e poderia passar a madrugada fazendo isso, quando ele só queria ir descansar. Porém, o que me deixava ansiosa era o fato de não saber quando iríamos conseguir conversar. A questão aqui não é ignorar o problema e colocá-lo debaixo do tapete, mas encontrar um melhor momento para resolvê-lo.

Passamos então a marcar horários específicos para isso. Se estávamos cansados ou estressados demais para conversar naquele momento, encontrávamos juntos um horário melhor para os dois. Por exemplo, se a conversa não vai acontecer à noite antes de dormir, a gente se compromete a separar a hora do almoço no outro dia para isso, e o faremos. Não fugiremos do diálogo, mas encontraremos um melhor momento para que ele aconteça. Respeitar os melhores horários um do outro é uma decisão sábia, pois evita que uma das partes entre para a conversa exausta. Para uma pessoa impulsiva como eu, essa prática me ajudou muito a acalmar os ânimos e a racionalizar os meus sentimentos antes de entrar na conversa.

Agora que todos estão preparados para um diálogo, é hora de ele acontecer. Naquele livro que estudamos juntos, aprendemos um passo a passo do diálogo. Ele foi muito útil para nós e por isso quero dividi-lo com você.

Nesses três passos do diálogo, existe uma dinâmica na qual uma das partes é o transmissor e a outra é o receptor. Diferentemente da forma como muitos de nós fazemos, em um diálogo saudável sempre existe uma pessoa que transmite o problema e outra que ouve. Em uma conversa na qual duas pessoas são as transmissoras, falta alguém para ouvir. Sendo assim, é muito importante estar claro, naquele determinado diálogo, quem será o que vai transmitir o que o transmissor está sentindo. Claro que isso varia. Um dia eu sou a transmissora; no outro, sou a receptora. O mais importante é ter sempre um transmissor e um receptor.

Nas primeiras vezes em que colocamos em prática esse passo a passo que veremos a seguir, nossas conversas pareceram muito mecânicas. Nós não estávamos acostumados a ter um comportamento tão educado e empático diante de um problema. Mas, com o tempo e a prática, tudo foi ficando mais natural. Hoje, depois de anos aplicando esse método, ainda falhamos algumas vezes no calor do momento. Mas ele nos ajudou a colocar a cabeça no lugar e a tentar sempre ter um diálogo da melhor forma possível.

Primeiro passo: expressar e espelhar[2]

> A resposta calma desvia a fúria, mas a palavra ríspida desperta a ira. (Provérbios 15:1)

---

[2] A seguir, estou adaptando com as minhas palavras os passos descritos em: HENDRIX, Harvey; LAKELLY, Helen. *Making marriage simple*: 10 relationship-saving truths. Londres: Harmony, 2014.

No primeiro momento do diálogo, o transmissor é o responsável por comunicar o problema e aquilo que ele está sentindo. Isso significa que ele vai falar mais dele do que do outro, ou seja, de como ele se sente diante do problema. Esse momento é muito crucial para como a conversa vai se desenvolver. É comum que o transmissor caia no erro de querer usar esse momento para atacar o outro, ao invés de comunicar como ele se sente em relação ao problema. Lembre-se: *o seu cônjuge não é o problema.*

ANTES	DEPOIS
Você sempre se atrasa. Você é irresponsável mesmo.	Eu me sinto desvalorizado(a) quando você se atrasa.
Você nunca me escuta. Você é egoísta demais.	Eu me sinto sozinho(a) quando tento falar com você.

Percebe a diferença? O foco já não é mais o seu cônjuge, mas como o que ele tem feito afeta você, e de que forma isso tem te chateado. Nesse lugar você aprende a falar mais sobre você e a abaixar o dedo apontado para o outro.

Em minhas discussões com o Rafa, sempre tive muita facilidade de atacá-lo. Quando passei a fazer o difícil exercício de falar como eu me sentia em lugar de só apontar o dedo para ele, percebi que ele conseguia me escutar muito mais. A tartaruga que existia nele saía rapidamente do casco ao perceber que eu estava ali para conversar, e não para brigar.

Palavras muito comuns usadas em diálogos que promovem ataques são "nunca" e "sempre". Se pensarmos bem, na maioria das vezes isso não é verdade e esses termos fortes só maximizam o problema.

Além de buscarmos não usar essas palavras, é muito importante que não rotulemos o outro dentro do diálogo. Termos como "irresponsável" ou "egoísta" não são nem um pouco inspiradores para quem precisa mudar. Colocar rótulos um no outro e despejar palavras críticas e negativas dessa forma são atitudes que têm o poder de criar um muro entre duas pessoas. Derrube esse muro ao se esforçar para não ferir a identidade do seu cônjuge com as suas palavras.

Colocar rótulos um no outro e despejar palavras críticas e negativas [...] são atitudes que têm o poder de criar um muro entre duas pessoas.

Outra responsabilidade do transmissor nesse momento é não abrir mais abas. Se o assunto tratado é um, fale somente dele. O momento do diálogo não deve ser destinado a lavar roupa suja do mês todo. Lave uma por vez. Em outro momento, vocês poderão conversar sobre outros problemas. Então, nesse tempo, dediquem-se a resolver um problema de cada vez. Chegando ao final da conversa, vocês podem, por exemplo, ver se é o momento de falar sobre outro problema ou se é melhor deixar para outra hora marcada. Muitas vezes, a discussão acaba se tornando algo enorme, porque diversos problemas são expostos e é impossível resolvê-los todos de uma vez.

O momento do diálogo não deve ser destinado a lavar roupa suja do mês todo. Lave uma por vez. Em outro momento, vocês poderão conversar sobre outros problemas.

No primeiro passo, o transmissor tem a responsabilidade de comunicar o que está sentindo, de forma clara e objetiva. Depois disso, o receptor entra em ação. Esse passo é chamado de *espelhar*, porque é como se o transmissor estivesse falando em frente a um espelho, que é o receptor.

Após o transmissor ter o seu momento de falar, o receptor vai repetir aquilo que foi falado. Repetir o que o outro fala ajuda quem está ouvindo a não interpretar mal aquilo que foi falado, ou colocar palavras na boca do outro.

TRANSMISSOR	RECEPTOR
Eu me sinto desvalorizado(a) quando você se atrasa.	Então, você se sente desvalorizado(a) quando me atraso.
Eu me sinto sozinho(a) quando tento falar com você.	Entendi, você tem se sentido sozinho(a) quando eu não te escuto.

Segundo passo: validar

> Alegrem-se com os que se alegram; chorem com os que choram. (Romanos 12:15)

Neste momento, o receptor vai protagonizar. Depois de ouvir tudo o que o transmissor tinha para falar e repetir o que ele disse, o receptor vai validar aquilo que foi dito. "Validar" significa dar crédito ao que meu cônjuge fala, mesmo que eu não concorde com ele. O objetivo aqui não é concordar em absolutamente tudo, mas demonstrar que um se importa com o que o outro sente. Esse passo é muito importante, pois é quando o transmissor faz o exercício de acreditar que ele está sendo ouvido e, o receptor, de se colocar no lugar do outro.

> Se o objetivo do diálogo é estabelecer conexão entre o casal, o melhor caminho é demonstrar que aquilo que o outro sente é importante.

O que muitas vezes fazemos em uma discussão depois de uma das partes mostrar aquilo que não está satisfeito é atacar de volta ou justificar as nossas atitudes. Nenhum desses caminhos leva à resolução de um problema. Se o objetivo do diálogo é estabelecer conexão entre o casal, o melhor caminho é demonstrar que aquilo que o outro sente é importante.

ANTES	DEPOIS
Eu me atrasei porque você não me avisou antes.	É, faz sentido o que você falou.
Eu não te escuto porque você só fica reclamando.	Você tem todo o direito de se sentir assim.

Terceiro passo: empatizar e perdoar

> Suportem-se uns aos outros e perdoem as queixas que tiverem uns contra os outros. Perdoem como o Senhor lhes perdoou. (Colossenses 3:13)

Este último passo é a finalização do segundo. Nele, o receptor, além de dar crédito ao que o outro sente, vai tentar se colocar no lugar dele através de suas palavras. Esse momento serve para o transmissor perceber que quem o está ouvindo não está ali só para ouvir, mas também para tentar entendê-lo. Empatizar-se em relação aos sentimentos do outro, mesmo sem concordar, é um exercício extremamente importante dentro do casamento. Essa demonstração de que há um esforço em compreender o que o outro sente gera conexões profundas entre um casal.

Empatizar-se em relação aos sentimentos do outro, mesmo sem concordar, é um exercício extremamente importante dentro do casamento.

TRANSMISSOR	RECEPTOR
Deve ser muito ruim se sentir desvalorizado(a). Me perdoa pelo atraso.	Sim, tudo bem.
Imagino o quão sozinho(a) você deve se sentir ao não ser ouvido(a). Você pode me perdoar?	Claro que eu perdoo.

A tarefa da empatia, para a tempestade, pode ser desafiadora, já que ela sempre quer ter a razão mais do que entender o outro lado. Em contrapartida, o desafio para a tartaruga em empatizar está no fato de que, para ela, seria muito mais fácil se esconder em seu casco, ao invés de ir em direção ao outro para entendê-lo.

Esse momento da conversa é quando eu e o Rafa geralmente pedimos perdão. Isso não está no passo a passo descrito no livro, mas foi algo que adaptamos dentro do nosso diálogo. Entendemos que o diálogo não deve ser somente um momento de desabafo, mas um momento de cura através do perdão. Para o receptor, é o exercício de reconhecer as suas falhas, olhar para si e se arrepender. Para o transmissor, é o momento de ser humilde e de dar o passo de perdoar.

Entendemos que o diálogo não deve ser somente um momento de desabafo, mas um momento de cura através do perdão.

O que acontece muitas vezes ao pular as etapas de um diálogo saudável é que, assim que o outro expõe o seu descontentamento, já pedimos desculpas. Porém ainda nem nos demos ao trabalho de realmente ouvir e ter empatia em relação ao que o outro diz. O exercício de ouvir e digerir faz com que o pedido de perdão seja mais genuíno, pois realmente passamos a entender a necessidade do outro. Dessa forma, quem se abre em um diálogo pode perceber que existe arrependimento do outro lado e, por causa disso, o casal começa a caminhar juntos em direção ao perdão.

> O perdão não é um ponto final do problema, mas é a decisão de duas pessoas que estão dispostas a caminhar juntas e a se perdoar mutuamente.

Sabemos que o caminho do perdão é uma decisão diária, pois nunca deixaremos de falhar uns com os outros. O perdão não é um ponto final do problema, mas é a decisão de duas pessoas que estão dispostas a caminhar juntas e a se perdoar mutuamente. Para mim, aprender a perdoar o Rafa quando ele falhava comigo foi um processo árduo. Ao sentar-me no trono da razão, eu tinha muita dificuldade em perdoar, por não conseguir enxergar os meus próprios erros. Toda a minha atenção e a minha energia estavam voltadas a tentar fazer que o Rafa me entendesse, e não sobrava quase nada para olhar para mim mesma. Quando eu passei a escutá-lo mais e entender aquilo que ele sentia, comecei a enxergar os meus próprios erros. Esse ciclo me ajudou a perdoá-lo, mesmo que eu ainda estivesse magoada. Não há espaço para orgulho em um ambiente de conexão e perdão. O perdão faz parte da vida diária de um casal que se conecta profundamente.

Ao terminar esse passo a passo, pode ser que o casal separe um momento para encontrar uma solução para o problema apresentado. Por exemplo, se o problema é o atraso, juntos eles podem pensar formas em que uma das partes se atrase menos e também fazer alguns combinados. Se o problema é um dos dois não se sentir ouvido, juntos encontrarão maneiras de se comunicar melhor. A parte boa de buscar uma solução após um diálogo saudável é que podemos contar com duas pessoas calmas, lúcidas e dispostas a encontrar uma solução. Coisa que não aconteceria se os dois estivessem em posição de ataque e estressados.

Pode ser também que esse diálogo tenha sido somente um momento de desabafo e conexão, e não necessariamente exija uma solução para o problema. Ou pode ser que o casal ache melhor buscar soluções práticas em uma conversa em outro momento. Eu e o Rafa temos diálogos que são tão tranquilos, que já partimos juntos em busca de uma solução. Outros exigem mais de nós, e terminamos pedindo perdão, nos abraçando e ficando em silêncio. Cada casal vai decidir o que é melhor para cada situação.

Ao olharmos as verdades enraizadas em um diálogo saudável, podemos enxergar muitos valores que Deus nos ensina em Sua palavra. Tratar os conflitos com prioridade, ter respeito ao falar com o próximo, ser empático e oferecer perdão, tudo isso são ensinamentos bíblicos.

Ao olharmos as verdades enraizadas em um diálogo saudável, podemos enxergar muitos valores que Deus nos ensina em Sua palavra.

Quando Deus criou homem e mulher, havia paz no relacionamento entre eles, até que a inimizade surgiu como consequência da escolha pelo pecado. Porém, o atrito que surgiu entre homem e mulher não é o fim, pois através da vinda, morte e ressurreição de Jesus encontramos novamente o caminho da paz.

Quando tomamos atitudes pacíficas dentro do nosso relacionamento, estamos agindo de acordo com a vontade de Deus. O convite dele para nós é que sejamos pacificadores

> O convite dele para nós é que sejamos pacificadores em um mundo de tantos conflitos. Sendo assim, a paz não é a ausência de conflitos; ela é a resposta ativa de Deus para um mundo em guerras.

em um mundo de tantos conflitos. Sendo assim, a paz não é a ausência de conflitos; ela é a resposta ativa de Deus para um mundo em guerras.

Escolher o diálogo é o caminho dos que buscam a paz, e bem-aventurados os pacificadores, porque eles serão chamados filhos de Deus (Mateus 5:9).

Aperfeiçoando

PERGUNTAS

1. Você acredita que o seu relacionamento esteja precisando de ajuda externa?

   Se sim, de que formas vocês poderiam buscar ajuda? (Pense em nomes de pessoas para ajudá-los nesse processo.)

LISTA 1

1. Faça uma lista das cinco maiores dificuldades que você encontra hoje no seu relacionamento.
2. Depois de feita a lista, marque as dificuldades em que você figura como o responsável por esse atrito acontecer. Tire um tempo para refletir sobre isso e anotar como você pode contribuir para que esse problema se resolva.

LISTA 2

1. Faça uma lista das dez qualidades que você mais admira no seu cônjuge.
2. Dessas qualidades listadas, marque as que você gostaria de adquirir. Lembre que podemos aprender com o nosso cônjuge a sermos mais como ele.
3. Pegue essa lista e diga a seu cônjuge por que você admira cada uma dessas características. Exemplo: "Característica:

corajoso(a). Eu amo que você é uma pessoa que não tem medo de enfrentar situações novas".

SUGESTÕES

Que tal partir para a parte prática do diálogo? Escolha algum assunto que hoje seja motivo de atrito entre vocês e siga o passo a passo do diálogo saudável. Para este primeiro diálogo, escolha de preferência algum assunto mais simples de resolver.

Passo 1: expressar e espelhar

- Transmissor: vai expressar algum problema que o tem chateado. Lembre-se de falar de como você se sente diante do problema em vez de atacar o cônjuge. (Exemplo: "Eu me sinto sozinho(a) quando tento falar com você".)
- Receptor: vai repetir tudo aquilo que o transmissor disse. Lembre-se de espelhar aquilo que foi dito em vez de dar a sua própria interpretação do problema. (Exemplo: "Entendi, você tem se sentido sozinho(a) quando eu não te escuto".)

Passo 2: validar

- Receptor: depois de ouvir e espelhar tudo o que o transmissor disse, o receptor vai validar aquilo que foi dito. É o momento de fugir da tentação de atacar de volta, e ir em direção ao cônjuge, validando o que ele sente. (Exemplo: "Você tem todo o direito de se sentir assim.")

Passo 3: empatizar e perdoar

- Receptor: além de dar crédito ao que o outro sente, o receptor vai tentar se colocar no lugar dele através de suas palavras. (Exemplo: "Imagino o quão sozinho(a) você deve se sentir ao não ser ouvido(a). Você pode me perdoar?")

ORAÇÃO

Separe, com o seu cônjuge, um tempo para vocês orarem juntos. Cada um fará uma oração de arrependimento, pedindo perdão pelas falhas cometidas dentro do relacionamento e rogando que o Senhor os aproxime por meio das dificuldades e os fortaleça nEle.

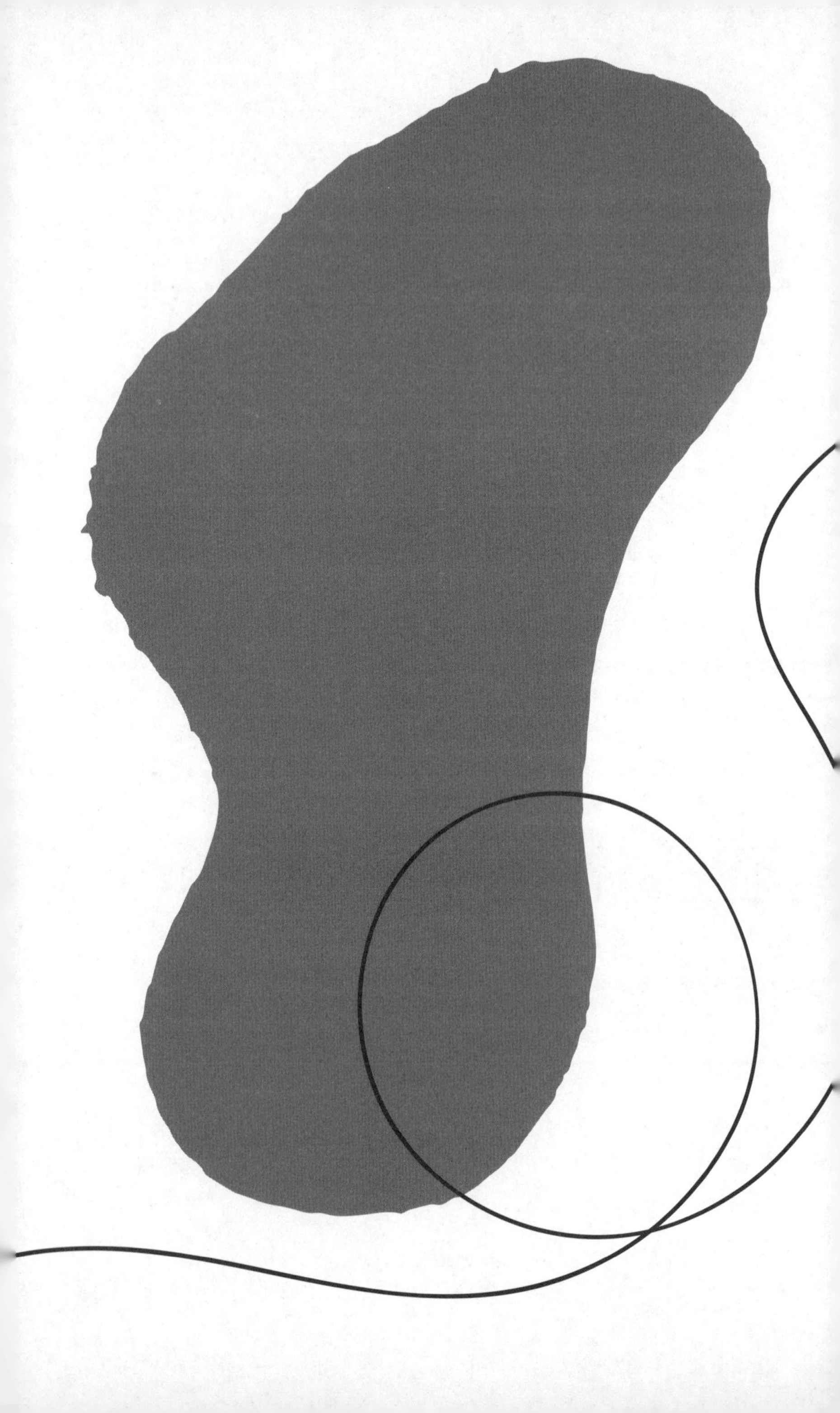

Capítulo 4

UM TIME DE TRÊS

"Um homem sozinho pode ser vencido, mas dois conseguem defender-se. Um cordão de três dobras não se rompe com facilidade."

Eclesiastes 4:12

O DINHEIRO QUE NOS SERVE

Depois de um ano e meio vivendo na Espanha, decidimos voltar ao Brasil no início do nosso quarto ano de casados. A ideia era passar seis meses resolvendo algumas pendências e logo retornar à Espanha. Como o nosso intuito era estar no Brasil por apenas alguns meses, não viemos com planos de nos instalar; decidimos ficar na casa da minha sogra. Porém, os planos foram mudando, e essa etapa que seria breve acabou virando alguns anos.

Quando percebemos que a nossa estadia não seria de apenas seis meses, tivemos que nos reajustar em diversas áreas. Foi praticamente um ano para que a gente pudesse digerir a ideia de que os planos não sairiam como planejamos e de que teríamos que nos adaptar a uma nova realidade. Precisamos procurar um lugar para morar, comprar móveis, nos enraizar novamente em nossa igreja local e investir em nossas amizades.

Todo esse processo nos custou muito financeiramente, emocionalmente e espiritualmente. Financeiramente, o dinheiro que havíamos guardado para aquele tempo estava acabando. Emocionalmente, estávamos tentando engravidar há mais de um ano, sem sucesso. Espiritualmente, queríamos entender quais eram os planos de Deus ao nos deparar com uma realidade em que os nossos planos não estavam funcionando.

E é sobre essas três áreas do casamento que vamos falar neste capítulo.

O conceito de "entender o casamento como um time", descrito no capítulo anterior, mudou completamente a nossa perspectiva. Percebemos que deveríamos aplicar essa verdade não somente para resolver os nossos conflitos, mas em todas as áreas do nosso casamento. Ao nos deparar com uma realidade em que nossas finanças, emoções e vida espiritual estavam sendo colocadas à prova, tivemos a oportunidade de pôr em prática o conceito de sermos um time também nessas áreas e protegermos o nosso casamento.

Quando comecei a pensar nos temas que seriam abordados neste livro, recebi uma sugestão de escrever sobre a vida financeira no casamento. Me questionei muito a respeito de dever abordar esse tema ou não, afinal isso nunca foi um desafio em nosso casamento. Porém, ao pesquisar um pouco mais sobre o assunto, vi uma informação que me fez tomar uma decisão imediata. Segundo uma pesquisa realizada pelo IBGE (Instituto Brasileiro de Geografia e Estatística), cerca de 57% dos divórcios realizados no Brasil, na última década, foram motivados por problemas financeiros. Esses dados me chocaram. O maior motivo de divórcio no Brasil nos últimos dez anos está relacionado às finanças. Diante de uma informação dessa, seria impossível ignorar o assunto neste livro.

O maior motivo de divórcio no Brasil nos últimos dez anos está relacionado às finanças.

Se nos atentarmos ao contexto bíblico, entenderemos melhor por que as finanças podem acabar se tornando o protagonista das separações. A Bíblia leva esse assunto muito a sério. Das 613 leis descritas nos primeiros livros da Bíblia, mais de 100 abordam assuntos relacionados ao dinheiro. O próprio Jesus falou sobre dinheiro mais de 80 vezes. De suas 49 parábolas contadas, 21 estão relacionadas a esse tema. Cerca de 20% do Sermão do Monte escrito no livro de Mateus menciona assuntos financeiros.[1]

Com base nessas informações, podemos afirmar que a área financeira é um tema que realmente importa em nossas vidas e, consequentemente, em nossos casamentos. Talvez tantos divórcios acontecem por problemas financeiros porque esse assunto não é devidamente levado a sério

---

[1] VINICIUS, Samuel. *Vida financeira*: os 8 maiores erros segundo a Bíblia (eles podem te destruir). Disponível em: https://vamosprosperar.com/vida-financeira/.

pelos casais. Quando ignoramos algo cuja importância a própria Bíblia nos mostra, colocamos o nosso coração em uma zona perigosa de corrupção. Então poderíamos concluir que o maior problema é o dinheiro em si? Não.

> Pois o amor ao dinheiro é raiz de todos os males. Algumas pessoas, por cobiçarem o dinheiro, desviaram-se da fé e se atormentaram a si mesmas com muitos sofrimentos. (1Timóteo 6:10)

Muitos acabam interpretando esse versículo como se o dinheiro fosse o responsável por todos os problemas. Mas ele nos diz que é o *amor* ao dinheiro o que corrompe o nosso coração. E a consequência disso é o afastamento da fé e uma vida atormentada.

Como eu e o Rafa não tínhamos um salário alto nos primeiros anos de casados, precisávamos ter sempre uma boa organização financeira para que chegássemos até o fim do mês com tudo em dia. Tudo o que entrava era organizado em uma planilha, que eu adorava administrar. Eu sempre gostei muito de cuidar da organização financeira; o Rafa, não. O negócio dele era trabalhar para trazer o sustento para dentro de casa sem ter que, necessariamente, lidar com os números. Assim, eu assumi essa parte e ele descansava ao saber que poderia contar com isso. Essa forma de gestão do dinheiro sempre funcionou muito para nós, por mais que ao longo dos anos fôssemos adaptando-a, para que ela funcionasse ainda melhor.

Acredito que, diante dos diversos pontos que poderiam ser abordados sobre a área financeira no casamento, existem três princípios que nos ajudaram nesses sete anos de casados. Ter essas verdades enraizadas em nosso coração trouxe o nosso casamento para um lugar seguro e nos fez um time forte nessa área.

Sua prioridade é a nossa prioridade

Enquanto solteiros, as finanças praticamente servem somente a nós mesmos. O que entra de dinheiro serve para suprir as nossas necessidades básicas e realizar algumas de nossas vontades. Tudo normal até aí. Ao entrar no casamento, isso muda. Não é que deixamos de ter interesses individuais, mas eles deixam de ser a nossa maior prioridade. O que é muito comum acontecer entre casais que não entendem essa verdade, e não estão dispostos a se sacrificar mutuamente, é o caminho dos desentendimentos frequentes. Tomar decisões financeiras é algo que faz parte do dia a dia em um casamento e, se os dois não estão alinhados nas prioridades, a longo prazo isso se torna um grande problema.

Não é possível existir um casamento estável se duas pessoas andam em direção opostas, buscando somente seus próprios interesses.

Não é possível existir um casamento estável se duas pessoas andam em direção opostas buscando somente seus próprios interesses. Entender as prioridades e necessidades do outro, assim como entendemos as nossas, facilita a dinâmica de um casamento financeiramente saudável.

Por exemplo, o Rafa sempre gostou muito de cuidar da saúde por meio da atividade física. Eu sempre gostei de cuidar da minha saúde mental na terapia. Quando nos casamos, tivemos que adaptar as nossas prioridades de acordo com o momento financeiro que estávamos vivendo.

Em momentos em que o nosso orçamento estava apertado, não conseguíamos atender às necessidades dos dois. Então, em determinados meses eu abria mão de algumas sessões de terapia, para que o Rafa pudesse treinar. Em outros meses, quando eu sentia a necessidade de ter mais sessões, ele deixava de ir ao crossfit e treinava na praça de forma gratuita. Fizemos essa dinâmica várias vezes quando algum de nós dois precisava mais de algo. Economizamos aqui para oferecer algo para o outro ali.

A questão não é competir as prioridades individuais ou anulá-las. Trabalhamos como um time, entendendo quem está precisando mais do que em determinado momento. Futuramente, esse tipo de dinâmica será estendido ao contexto familiar com a chegada dos filhos. Haverá necessidades coletivas, e o lar precisará de coisas que só conseguiremos oferecer ao abrir mão de algumas necessidades individuais.

A questão não é competir as prioridades individuais ou anulá-las. Trabalhamos como um time, entendendo quem está precisando mais do que em determinado momento.

Nós experimentamos muito disso antes mesmo da chegada dos nossos filhos. Quando voltamos ao Brasil para investigar o que estava nos impedindo de engravidar, demos de cara com uma quantidade enorme de exames e procedimentos médicos que seria preciso fazer. Isso nos custou muito dinheiro. Naquela época, nós dois tivemos que abrir mão de algumas necessidades pessoais em prol da nossa futura família. E como valeu a pena! Depois de um bom tempo de economias e sacrifícios, tivemos um resultado positivo de gravidez. Foi maravilhoso poder desfrutar dessa vitória juntos!

Outra maneira de priorizar as necessidades do outro, assim como priorizo as minhas, é investir o dinheiro no próprio casamento. Muitos casais abandonam determinados hábitos, como sair para jantar, viajar juntos ou comprar um presente especial, por não entender isso como uma prioridade. É preciso que dentro da organização financeira familiar haja investimento em coisas que são importantes para a saúde do casamento a curto e a longo prazo.

> É preciso que dentro da organização financeira familiar haja investimento em coisas que são importantes para a saúde do casamento a curto e a longo prazo.

Valorizar as necessidades do meu cônjuge e da minha família assim como valorizo as minhas é obedecer ao mandamento bíblico de amar ao meu próximo como amo a mim mesmo (Mateus 22:39). Afinal, não há ninguém mais próximo do que quem é uma só carne com você.

O dinheiro é nosso

Em nossos tempos, existem alguns princípios que, por mais que sejam dotados de boas intenções, são perigosos para o casamento. Um deles é a ideia de que devemos entrar para o casamento nos protegendo financeiramente caso, no futuro, haja uma separação. Uma vez ouvi uma frase que dizia: "Devemos começar algo visando como queremos terminar". Se entramos para o casamento com o desejo de que ele

> Se entramos para o casamento com o desejo de que ele seja para sempre, precisamos começar colocando como objetivo essa durabilidade.

seja para sempre, precisamos começar colocando como objetivo essa durabilidade.

A partir do momento que nos casamos, nos tornamos um só em todas as áreas da nossa vida — física, emocional, espiritual, moral e também financeira. A ideia de que cada um tem o seu dinheiro e faz o que bem entende com ele vai contra esse princípio.

Ao agirmos de forma independente financeiramente dentro do casamento, corremos um grande risco de nos tornarmos cada vez mais individualistas, considerando os nossos objetivos pessoais mais importantes do que os do outro. Para que isso não aconteça, devemos enxergar todos os ganhos que entram no lar como sendo dos dois. Não existe mais "o meu dinheiro e o seu dinheiro", e sim "o nosso dinheiro".

Essa visão coletiva sobre o dinheiro faz com que ambos se sintam valorizados dentro do casamento. Ao existir momentos em que um dos dois não está trabalhando fora e esteja assumindo mais responsabilidades domésticas, ele(a) pode contar que o seu trabalho, por mais que não seja remunerado, também tem o seu valor. Cada um, ao cooperar de alguma forma, está trazendo ganhos financeiros para o lar, os quais são para todos.

Na organização financeira, pode ser que exista um dos cônjuges que prefira assumir mais. Mas isso não pode servir de motivo para que o relacionamento se torne abusivo. Há uma grande diferença entre assumir a organização das finanças e não deixar que o outro cônjuge participe dela. Já vi mulheres tendo que pedir ao marido permissão para comprar uma calcinha.

Há uma grande diferença entre assumir a organização das finanças e não deixar que o outro cônjuge participe dela.

Isso não é um entendimento saudável sobre a vida financeira no casamento. Quando o dinheiro é dos dois, ambos têm a liberdade de usufruir das finanças. É claro que a comunicação é importante na administração financeira do lar. Mas isso não quer dizer que o meu cônjuge terá que prestar contas a cada pão que ele comprar, porque o dinheiro serve a todos e confiamos um no outro.

Outro benefício que podemos encontrar ao juntar os ganhos e entender o dinheiro como "nosso" é que protegemos o casamento da competitividade entre o casal. Quebramos a competição de quem ganha mais e quem ganha menos. Casais que competem entre si para ter o maior salário não entenderam sobre a verdadeira unidade do casamento. Todos servem e colaboram de alguma forma para o mesmo objetivo.

Construímos juntos e compartilhamos

Uma das maiores belezas do casamento é a possibilidade de poder construir algo juntos. Eu e o Rafa gostamos muito de olhar para trás e ver tudo o que já passamos e onde chegamos hoje. Todas as nossas pequenas conquistas financeiras são motivos de orgulho para nós desde o tempo de namoro. Nós já trabalhamos de tudo e mais um pouco. Professor de inglês, de dança, de educação física para crianças, garçom, babá, tradutor, fotógrafo; eu já tive um brechó online, depois uma loja de acessórios para noivas, dentre muitos outros bicos que já fizemos. Todos esses trabalhos nos serviram em prol de algum objetivo em determinada época de nossas vidas: seja para juntar dinheiro para o casamento, para fazer um mestrado na Espanha ou para pagar os tratamentos de saúde e conseguir engravidar. Abandonamos nossas vidas de solteiro nas quais cada centavo servia para construção de objetivos pessoais e partimos para a construção da nossa família.

> Pesquisas nacionais e internacionais comprovaram que pessoas casadas acumulam mais dinheiro do que pessoas solteiras.

Por mais que hoje em dia seja muito pregado que casar e bancar os custos de uma vida a dois é empobrecer, existem diversos estudos que comprovam o contrário. Pesquisas nacionais e internacionais comprovaram que pessoas casadas acumulam mais dinheiro do que pessoas solteiras. Esses estudos demonstraram que pessoas casadas aumentam sua renda substancialmente, até mesmo em comparação com quem simplesmente mora junto.[2]

É claro que o sucesso financeiro dentro do casamento não necessariamente está ligado a um casamento feliz e saudável. Se fosse assim, todos os casamentos de pessoas ricas durariam. Mas o que mais me chama a atenção nesses dados é o fato de como duas pessoas que trabalham juntas podem construir coisas maiores. Se podemos utilizar a organização financeira para trazer mais estabilidade e conforto ao lar, por que não fazê-lo?

Depois de sete anos de casados, eu e o Rafa chegamos a um momento financeiro em que algumas pessoas à nossa volta ficaram preocupadas com o nosso casamento. Depois de me tornar escritora e, graças a Deus, ter vendido muitos livros, conseguimos uma estabilidade financeira que nunca

---

[2]Para um exemplo repleto de referências bibliográficas, veja: GUIGINSKI, Janaína Teodoro. *O prêmio salarial masculino do casamento no Brasil.* Tese (Doutorado em Demografia). Universidade Federal de Minas Gerais, Belo Horizonte, 2019.

tivemos. As pessoas vinham conversar conosco para saber como estávamos lidando com isso, principalmente para checar como era para o Rafa “ganhar menos dinheiro” que eu. Essas perguntas nunca fizeram sentido para nós. Afinal, essa vitória financeira nunca foi só minha; era nossa. Se eu tive a oportunidade de ter tempo para escrever durante tantos anos, foi porque encontrei no meu marido um provedor incansável. Cada centavo que entrou em nossa casa com as vendas dos livros foi fruto de um trabalho em equipe que fizemos por anos.

Hoje, sempre que entramos em nosso carro confortável, nos lembramos das diversas vezes em que andamos a pé, de bicicleta, ônibus e caronas. Quando nos sentamos juntos na rede do nosso jardim, lembramos das diversas casas apertadas em que vivemos. E tudo isso é motivo de alegria e vitória para nós. Não é um orgulho individual. Nos olhamos com cumplicidade. Nos alegramos e desfrutamos de uma vida construída a dois. Como é maravilhoso viver isso!

Além de nos alegrarmos com as conquistas financeiras, é gratificante poder olhar para trás e ver que, durante os tempos de crise, houve um esforço em lutarmos juntos contra elas. Não queríamos nos endividar, e conseguir isso a dois é muito mais fácil.

Sabemos que as dívidas são um grande motivo de problemas dentro do casamento. Porém muitas delas se devem ao fato de o casal não ter uma comunicação clara com o outro sobre o que está acontecendo, ou sobre como podem resolver a situação. Casais que visam construir algo juntos compartilham as dificuldades financeiras um com o outro e encontram juntos maneiras de sair dessa situação. Ninguém precisa carregar esse fardo sozinho.

A melhor parte de crescer juntos financeiramente é ter a oportunidade de abençoar outras pessoas. A Bíblia afirma que há maior felicidade em dar do que receber (Atos 20:35). Nós tivemos a oportunidade de experimentar essa verdade estando dos dois lados, o de quem recebe e o de quem dá. Durante os tempos difíceis financeiros, fomos abençoados diversas vezes por pessoas generosas ao nosso redor.

A melhor parte de crescer juntos financeiramente é ter a oportunidade de abençoar outras pessoas.

Uma dessas experiências me marcou muito. Quando estávamos no processo de tentar engravidar, o meu médico me pediu para fazer um exame mais complexo. Liguei para a clínica para marcar e, quando a secretária me falou o valor do exame, desliguei o telefone e avisei o Rafa que não teria como eu fazer, pois era um valor que nós não tínhamos na época. Ele me disse: "Liga de volta e marca. Deus vai prover!". Fiquei receosa, mas o fiz. Logo em seguida mandei mensagem para uma amiga que já tinha realizado esse exame, perguntando o quão doloroso era. Ela me contou como foi a sua experiência e finalizou a mensagem perguntando qual era a nossa conta do banco, pois queria depositar o valor completo do exame. Eu não acreditei! Cinco minutos após eu ter marcado um exame pela fé, Deus nos respondeu.

Essa e outras muitas atitudes de generosidade que experimentamos foram sementes poderosas em nossas vidas. Tivemos a oportunidade de experimentar o amor e a fidelidade de Deus através da vida dessas pessoas. Dessa forma, foi plantado em nosso coração um desejo enorme de também sermos generosos.

A primeira coisa que fizemos ao ter uma vida financeira melhor foi nos atentar a quem estava precisando de ajuda à nossa volta. Queríamos viver a mesma alegria que víamos no rosto das pessoas que tiveram a oportunidade de nos abençoar durante tantos anos. Além disso, desejávamos demonstrar a provisão de Deus na vida de pessoas que estavam em necessidade, no mesmo lugar em que já estivemos. O ciclo da generosidade é muito frutífero!

Ao servirmos a Deus, deixamos de servir ao dinheiro, pois entendemos que Ele é o provedor e dono de tudo, não nós.

Aplicar essas três verdades sobre a vida financeira ao casamento é viver uma vida na qual não somos escravos do dinheiro. Deixamos de ser pessoas correndo em uma direção cega atrás do sucesso financeiro e deitamos a cabeça no travesseiro descansando em um Deus provedor (Mateus 6:26-30). Não servimos ao dinheiro; é ele que nos serve. Jesus diz na Bíblia:

> Ninguém pode servir a dois senhores; pois odiará a um e amará o outro, ou se dedicará a um e desprezará o outro. Vocês não podem servir a Deus e ao Dinheiro. (Mateus 6:24).

Ao servirmos a Deus, deixamos de servir ao dinheiro, pois entendemos que Ele é o provedor e dono de tudo, não nós. Reconhecermos a provisão de Deus sobre as nossas vidas nos coloca em um lugar de dependência financeira dEle — e o peso da preocupação financeira vai embora. Sendo assim, a nossa mente é livre para enxergar as coisas que mais têm valor: aquelas que o dinheiro não pode comprar.

AS EMOÇÕES QUE SE CONECTAM

Quando nos apaixonamos por alguém, temos uma facilidade muito grande de compartilhar as nossas emoções. Nada melhor do que a paixão para, espontaneamente, colocar para fora tudo aquilo que sentimos. Quando lemos cartas e poesias apaixonadas, podemos encontrar uma chuva de palavras carregadas de sentimentos.

Ao entrar no casamento, alguns desses sentimentos continuam, mas a maioria deles se estabiliza — o que não é ruim. Amadurecemos com o passar dos anos, e com isso os sentimentos também amadurecem. Com esse novo tempo, alguns desafios surgem. O casal passará por frustrações, perdas, dores e angústias, e a maneira como lidará com as emoções influenciará o rumo que o casamento vai tomar.

Existem casais que diante de momentos de angústia se aproximam e se fortalecem como nunca. Outros, por não saberem como lidar com as próprias emoções e as do cônjuge, acabam se afastando.

A desconexão emocional entre um casal é como um abismo. Cada um vive de um lado, tendo que lidar sozinho com suas angústias internas. Um deixa de ser para o outro o ombro amigo com quem sempre contou, inclusive abrindo brechas para que outras pessoas ocupem esse lugar. A desconexão emocional transforma o lugar de expor os sentimentos em um lugar desconfortável e cheio de julgamento.

A desconexão emocional transforma o lugar de expor os sentimentos em um lugar desconfortável e cheio de julgamento.

Sempre que algum casal me procura para aconselhamento, a primeira coisa que pergunto é: *Você já conversou com o seu cônjuge sobre isso?* Na maioria das vezes, a resposta surpreendentemente é "não". Quantas vezes os casais passam por problemas pessoais sozinhos, quando Deus lhes dá a oportunidade de poder deitar todos os dias ao lado de alguém na cama e conversar.

Casais que escolhem se fechar emocionalmente para o cônjuge culpabilizam os pensamentos como "*Ele(a) não vai me entender, não quero sobrecarregá-lo(a) com os meus problemas*" ou "*Deixa quieto, melhor eu resolver isso sozinho*". Esses pensamentos, por mais legítimos que sejam em determinadas circunstâncias, são sementes com grande potencial de se tornarem ervas daninhas em um casamento. Por isso, a conexão emocional entre o casal merece toda a nossa atenção.

Depois que eu e o Rafa nos casamos, combinamos que ficaríamos dois anos sem ter filhos. Seria um tempo para que a gente se adaptasse como casal, estudasse e vivêssemos algumas coisas a sós no casamento. Quando esse tempo chegou ao fim, a conversa sobre tentar engravidar começou. Me lembro muito bem do momento exato em que decidimos que eu pararia de tomar a pílula anticoncepcional. Morávamos na Espanha, e passamos uma longa noite conversando sobre o assunto, um pouco inseguros pela nossa situação financeira na época e por estarmos longe da nossa família. Mas oramos e decidimos que iríamos começar a tentar.

Naquele exato momento, como uma boa controladora, fiz os cálculos e planejei exatamente o mês em que nosso filho iria nascer. Na nossa primeira tentativa, não deu certo. Na segunda, também não. E assim tentamos por mais de um ano enquanto vivíamos na Espanha. Quando chegamos ao Brasil, começamos a fazer muitos exames. Os resultados saíram e descobrimos que eu tinha alguns problemas de saúde que estavam me impedindo de engravidar. Tive que fazer diversos procedimentos, tomar muitos remédios, além de passar por uma cirurgia. Essa trajetória de tentar engravidar, que sempre imaginamos que seria fácil e rápida, durou dois anos e meio, somando um total de 32 tentativas sem sucesso.

Esse tempo foi, sem dúvidas, o que mais mexeu com a nossa vida emocional individual e como casal.

Tanto eu quanto o Rafa tínhamos um histórico parecido de conquistas pessoais. Ambos fizemos o intercâmbio que queríamos, entramos nas universidades que almejávamos, nos casamos com quem sonhávamos, além de muitas outras vitórias pessoais. Lidar com portas fechadas não fazia parte da nossa vida. Os diversos testes negativos de gravidez, somados às crises profissionais, foram um grande choque para nós.

Como somos muito diferentes, além de sermos do sexo oposto, eu e o Rafa lidamos de formas distintas com esse processo.

Para mim, como mulher, me parecia algo muito natural conseguir engravidar. Era como se fosse o próximo passo obrigatório na vida de qualquer pessoa. Você namora, se casa e depois tem filhos. Eu não imaginava que poderia existir diversas outras possibilidades dentro dessa ordem.

Eu olhava as pessoas à minha volta engravidando sem fazer esforço algum e eu não entendia por que isso não acontecia comigo — além do fato de me sentir péssima por não conseguir realizar o maior sonho da vida do Rafa: ser pai. Não era frustrante para mim somente o fato de os testes negativos estragarem os meus planos; de certa forma, eu sentia que estava estragando os do Rafa também.

Foi quando nos deparamos com a maior frustração das nossas vidas que nos conectamos da forma mais verdadeira. Nesse lugar de deserto, eu e o Rafa encontramos uma oportunidade de fortalecer o nosso casamento. Mostrar as verdades do nosso coração e nos despir emocionalmente um para o outro levou o nosso relacionamento a um novo nível de compreensão e profundidade.

Mostrar as verdades do nosso coração e nos despir emocionalmente um para o outro levou o nosso relacionamento a um novo nível de compreensão e profundidade.

A ideia de ser um time na vida emocional é entender que os nossos sentimentos não devem competir com os do nosso cônjuge ou lutar contra eles. Afinal, não há vitória quando os participantes de um time estão com os sentimentos descontrolados e à flor da pele. Atuar como um time na saúde emocional do casamento é colocar em prática atitudes que levarão o casal a uma conexão maior.

Existem várias atitudes que podem ajudar nessa caminhada. Aqui vou listar as três principais que funcionam dentro da realidade do nosso lar e que podem servir de ajuda para o seu relacionamento também.

Falar a língua do outro

Por mais que se tenha a melhor das intenções ao querer se conectar emocionalmente com o seu cônjuge, é preciso entender qual a melhor forma de fazê-lo. Nem sempre é fácil ter acesso às emoções do outro de forma eficaz, por isso precisamos gastar tempo em conhecê-lo. Pode ser que aquilo que funcione para você não necessariamente funcione para ele. Por isso a importância de *falar a língua* do outro, para que essa conexão possa verdadeiramente acontecer.

Existe um livro muito conhecido chamado *As cinco linguagens do amor*,[3] que pode ajudar bastante os cônjuges que querem ter uma conexão emocional melhor. No livro, o autor fala sobre cinco formas diferentes de receber e demonstrar amor: tempo de qualidade, palavras de afirmação, presentes, toque físico e atos de serviço.

Todos nós amamos e nos sentimos amados pelas pessoas através de uma ou mais dessas diferentes linguagens. O Rafa, por exemplo, tem como linguagem do amor "toque físico" e "palavras de afirmação". Ele demonstra e recebe amor através de carinho, beijos, abraços e também de palavras positivas. Já as minhas linguagens do amor são "tempo de qualidade" e "atos de serviço". Eu amo as pessoas e me sinto amada através do tempo que passamos juntas ou servindo/sendo servida por elas.

Entender qual é a forma que o seu cônjuge tem de te amar facilita o processo de conexão entre vocês.

Entender qual é a forma que o seu cônjuge tem de te amar facilita o processo de conexão entre vocês. Afinal, provavelmente a forma como ele te ama pode ser diferente da que você espera. Da mesma forma, entender a forma como você se sente amado facilita o processo de explicar ao seu cônjuge aquilo que você gostaria de receber.

Algumas vezes eu percebia que o Rafa não estava bem e decidia cozinhar um prato gostoso para ele, achando que isso

[3] CHAPMAN, Gary. *As cinco linguagens do amor*. 3. ed. São Paulo: Mundo Cristão, 2013.

o faria se sentir melhor ou o conectaria mais a mim. Porém, o que ele mais estava precisando era de um abraço para se sentir seguro e então se abrir. Por outro lado, algumas vezes eu precisava que ele se sentasse no sofá e gastasse tempo conversando comigo, ou até vendo um filme, e ele somente oferecia carinho físico. Quando passamos a entender a forma do outro de amar e a comunicar explicitamente de que maneira gostaríamos de ser amados, nos tornamos mais assertivos em nossas atitudes de conexão emocional.

Quando passamos a entender a forma do outro de amar e a comunicar explicitamente de que maneira gostaríamos de ser amados, nos tornamos mais assertivos em nossas atitudes de conexão emocional.

Isso também ajuda muito na hora de alinhar as expectativas daquilo que o outro pode te oferecer. Por mais que você explique o que funciona para você, a melhor demonstração de amor que o seu cônjuge poderá oferecer será aquela que lhe é natural. Entender isso evita frustrações ao não receber exatamente o que se deseja. É muito comum encontrar cônjuges insatisfeitos por sentirem que o(a) parceiro(a) não entende os seus sentimentos, quando não necessariamente ele precisa entender. Dependendo da sua linguagem do amor, muitas vezes o melhor que ele poderá oferecer pode não ser os maiores conselhos, mas sim ouvidos atentos e um ombro para você chorar. Ambas são formas de demonstrar que existe alguém ali que se importa com o que você sente.

A melhor demonstração de amor que o seu cônjuge poderá oferecer será aquela que lhe é natural. Entender isso evita frustrações ao não receber exatamente o que se deseja.

Veja o seu coração como o tanque de gasolina de um carro. Agora imagine que as demonstrações de amor e as conexões emocionais sirvam como gasolina. Quando nos conectamos com o nosso cônjuge de uma forma que ele se sente amado, é como se colocássemos um pouco de gasolina nesse tanque. Quando deixamos de demonstrar amor e não nos importamos em nos conectar com o outro, é como um carro que anda de tanque vazio, correndo o risco de "pifar" emocionalmente. Existem muitos casais andando de tanque vazio e se colocando em uma zona perigosa de desconexão emocional.

Nos momentos de instabilidade emocional, durante as nossas tentativas de gravidez, utilizamos muito o recurso das linguagens do amor. Algumas vezes, ao sair de uma consulta com resultados ruins de exames, entrávamos no carro e o Rafa já me falava que poderíamos ficar ali conversando o tempo que eu precisasse. Ele procurava gastar tempo me ouvindo e me dando espaço para colocar os sentimentos para fora. Da mesma forma, em momentos nos quais ele enfraquecia, eu sabia que o mais importante para ele seria o acolhimento físico. Ele não queria passar horas falando sobre os seus sentimentos, mas, se eu lhe oferecesse colo e abraço, em poucas frases ele desabafava e se sentia acolhido.

Encontre a linguagem de amor do seu cônjuge e a melhor forma de se conectar emocionalmente com ele para que vocês desfrutem de um casamento conectado e ainda mais forte.

Nessa dinâmica, validamos as nossas emoções e damos espaço para que o outro valide as dele também. Encontre a linguagem de amor do seu cônjuge e a melhor forma de se conectar emocionalmente com ele para que vocês desfrutem de um casamento conectado e ainda mais forte.

Busque ajuda!

Por muitos anos, a ideia de buscar ajuda psicológica era considerada coisa de gente maluca. É muito raro, por exemplo, que nossos pais ou que pessoas mais velhas tenham feito terapia na juventude. Porém, entender a ajuda psicológica como uma ferramenta que trabalha por nós e, consequentemente, por nosso casamento faz parte da busca por uma vida mais saudável.

Para que haja saúde emocional no casal, primeiro é preciso cuidar da saúde emocional individual. Não há como um cônjuge ajudar ao outro se ele não entende as suas próprias emoções, nem sabe lidar com elas. Para isso, a ajuda e a opinião externa de um profissional são muito importantes.

Para que haja saúde emocional no casal, primeiro é preciso cuidar da saúde emocional individual.

Depois de um tempo tentando engravidar, comecei a perceber alguns comportamentos diferentes em mim. Sentia uma necessidade de ficar sozinha, me faltava ânimo para cumprir tarefas simples do dia a dia, chorava com muita frequência, preferia ficar deitada na cama, além de não conseguir explicar para o Rafa o que eu estava sentindo. Eu já não me reconhecia e tinha uma sensação de que tudo havia perdido a cor. Eu conseguia perceber que não era algo espiritual, mas físico. Foi quando decidi buscar ajuda psicológica pela primeira vez.

Depois de algumas sessões, a psicóloga me disse que eu estava entrando em uma depressão, por causa de problemas prévios com ansiedade. Receber esse diagnóstico foi bem estranho, porque eu sempre fui muito extrovertida e feliz. Não imaginei que isso poderia acontecer comigo.

Através da terapia, pude aprender a lidar com os meus sentimentos, ter forças para fazer atividade física e tomar atitudes que me ajudassem a melhorar. Isso trouxe muita saúde para o nosso casamento, pois, ao entender melhor como lidar comigo mesma, eu conseguia me reconectar com o Rafa e lhe explicar o que estava acontecendo. Além de ele também aprender a lidar com aquela situação.

Em nossa cultura, existe um orgulho enraizado que nos impede de reconhecer as nossas fraquezas e ir em busca de ajuda. Por isso, muitas pessoas recusam tratamento profissional. Porém, essas atitudes podem gerar um campo minado dentro de um casamento — qualquer passo dado corre o risco de gerar uma explosão.

E isso também vale para a subcultura cristã, em que muitos cristãos tem um bloqueio com a ajuda psicológica, pela crença de que Deus é quem cura as nossas emoções. Mas, se nos guiarmos pela lógica desse pensamento, não deveríamos buscar ajuda médica ao ter algum problema físico. Assim como os médicos, psicólogos são profissionais usados por Deus para nos ajudar.

Assim como os médicos, psicólogos são profissionais usados por Deus para nos ajudar.

Foi muito valioso aprender, por meio da terapia, a me responsabilizar pelas minhas próprias emoções. Eu tinha o costume de sempre jogar para o Rafa a responsabilidade de saber lidar com o que eu estava sentindo ou com o meu descontrole emocional. Ao aprender a colocar os sentimentos no lugar correto e me responsabilizar por eles, eu tirava esse peso que estava sobre o meu marido, de ser o "salvador do meu coração". Enquanto eu amadurecia nessa área, pude perceber o quanto o nosso relacionamento também se acalmava em momentos de tensão e se tornava mais maduro.

Duas pessoas que vivem com os sentimentos à flor da pele e tratam suas angústias de maneira solitária não conseguem se conectar de maneira alguma. Ao buscarmos ajuda externa — terapia, aconselhamento pastoral, ou uma conversa com alguém de confiança — para saber como lidar com as nossas emoções, nos damos a chance de trabalhar o autoconhecimento. É nos conhecendo que aprendemos a nos cuidar e, ao nos cuidar, também cuidamos um do outro. Cuidar da saúde mental é cuidar do casamento.

É nos conhecendo que aprendemos a nos cuidar e, ao nos cuidar, também cuidamos um do outro. Cuidar da saúde mental é cuidar do casamento.

O lugar da vulnerabilidade é o lugar do fortalecimento

Essa é uma das maiores verdades que vivenciamos em nosso casamento durante os tempos de dor. Quando nos deparamos com a possibilidade do sonho de ser pais não se realizar facilmente, ou no tempo em que gostaríamos, tivemos a oportunidade de nos conhecer melhor. Foi nesse lugar que conheci um marido mais sensível, mas que também se fortalecia por mim. Nesse mesmo lugar, o Rafa encontrou uma esposa que tirava a sua casca grossa e se permitia ser cuidada.

Demonstrar fraquezas é como retirar várias camadas que nos cobrem e mostrar quem verdadeiramente somos.

Demonstrar fraquezas é como retirar várias camadas que nos cobrem e mostrar quem verdadeiramente somos.

Nos desnudamos emocionalmente um para o outro ao sermos sinceros sobre o que sentíamos diante de nossas frustrações. O lugar que seria apenas de dor se tornou um refúgio para nós como casal. O lamento que poderia se multiplicar ao ser vivido na solidão se dividia em nossas conversas sinceras.

É interessante porque, quando nos apaixonamos por alguém, nos conectamos muito por nossas afinidades. Dentro delas, encontramos lugares de conexão. Existem casais que se conectam ao viajar juntos, outros vendo um filme e outros conversando sobre política. Quando fazemos do lugar da vulnerabilidade um lugar de conexão, adicionamos ao nosso relacionamento mais uma área na qual é confortável e seguro estar. Os casais que fogem desse tipo de conexão acreditam que demonstrar suas fraquezas é enfraquecer o casamento. De forma alguma!

Quando fazemos do lugar da vulnerabilidade um lugar de conexão, adicionamos ao nosso relacionamento mais uma área na qual é confortável e seguro estar.

Experimentar a vulnerabilidade em nosso casamento por dois anos e meio de tentativas de gravidez nos trouxe um diálogo e uma conexão que futuramente nos seriam muito úteis. No final desse processo, Deus nos presenteou com uma gravidez de gêmeos. Foi mágico! Assim como nas finanças, depois de termos fortalecido o nosso casamento durante os tempos difíceis, desfrutar da vitória da gravidez teve um gosto muito especial depois de anos de lágrimas. Parecia um sonho, e ainda por cima dobrado.

Porém, toda nova dádiva também traz novos sacrifícios.

Depois que os gêmeos nasceram, vieram as intermináveis noites em claro. As nossas madrugadas antes calmas e silenciosas se tornaram cheias de fraldas sujas e choros de bebês. Vivemos muitos meses em uma exaustão física muito grande, o que implicava também uma exaustão mental. Nesses momentos, percebemos que seria muito fácil tomarmos o caminho da desconexão através de desabafos movidos por estresse e cansaço. Foi quando decidimos optar por um caminho que já nos era familiar: o da conexão através da vulnerabilidade.

Depois que os bebês iam dormir, íamos para a sala, sentávamos no sofá e colocávamos para fora o que sentíamos — fosse cansaço, frustração com a maternidade/paternidade, estresse pela privação do sono ou qualquer tipo de sentimento. Ali era uma oportunidade de recarregar a nossa bateria e encher o nosso tanque vazio. Nos fortalecíamos individualmente ao encontrar no outro o ombro de que precisávamos, além de fortalecer o nosso casamento.

Nos fortalecíamos individualmente ao encontrar no outro o ombro de que precisávamos, além de fortalecer o nosso casamento.

A própria Bíblia nos ensina que é possível existir fortalecimento no reconhecimento das nossas próprias fraquezas:

> Minha graça é suficiente para você, pois o meu poder se aperfeiçoa na fraqueza". Portanto, eu me gloriarei ainda mais alegremente em minhas fraquezas, para que o poder de Cristo repouse em mim. Por isso, por amor de Cristo, regozijo-me nas fraquezas, nos insultos, nas necessidades, nas perseguições, nas angústias. Pois, quando sou fraco é que sou forte. (1Coríntios 12:9-10)

Quem fez essa declaração foi o Apóstolo Paulo em um contexto no qual falsos apóstolos se gloriavam em suas próprias qualidades e experiências. Diferentemente desses apóstolos, Paulo escolhe reconhecer as suas fraquezas e demonstrar que toda a sua força não vinha de si, mas de Deus. Além disso, ele afirma sentir prazer em suas fraquezas, pois elas serviam como um caminho de contentamento em Deus. Esse texto nos prova o quanto as nossas fraquezas podem ser um lugar de fortalecimento e alegria.

As falsas forças demonstradas dentro do casamento são como pequenos tijolos que colocamos entre nós e o nosso cônjuge, formando um muro da desconexão emocional. As vulnerabilidades de um coração sincero apresentadas ao nosso cônjuge diariamente são como fundações firmes de um casamento forte e verdadeiro.

Vulnerabilidade masculina

Por Rafael Carrilho

Lendo este livro, você já deve ter percebido que eu sempre quis muito ser pai. Não sei se pelo excelente exemplo de pai que tive em casa ou se por ser algo que Deus simplesmente colocou muito forte em meu coração desde pequeno. A paternidade para mim sempre foi um sonho. Lembro de ainda criança imaginar como seriam meus filhos, do que a gente iria brincar e das conversas que teríamos. Todas as vezes que me relacionei com alguma menina já imaginava os filhos que teríamos juntos e a construção do nosso lar. Esses pensamentos sempre me inundavam com uma sensação de plenitude.

Ao me casar e enfrentar a realidade da vida conjugal, tive que amadurecer e ter uma visão menos romântica sobre a família e sobre o que é ser homem, marido e pai. Nesse sentido, eu acredito que cada etapa no relacionamento é extremamente importante. Por exemplo, o tempo que passamos como namorados — se dependesse de mim, já teria casado com a Fernanda na segunda semana de namoro — foi fundamental para me preparar como marido. De certa forma, o namoro nos permite colocar em prática aquilo que queremos para o casamento, havendo certa flexibilidade maior ao errar, dando-nos tempo e espaço para aprender e nos corrigir.

Posteriormente, a etapa de vivenciar o casamento sem filhos também é muito importante, pois é quando temos a chance de nos conhecer ainda melhor, nos fortalecer como marido e mulher e nos adaptar em vários aspectos.

Nos nossos primeiros meses de casados, foi um desafio para mim o fato de esperarmos um tempo antes de começarmos a tentar engravidar. Parecia que eu não estava completo enquanto ainda não tínhamos filhos. Um dia, eu e a Fernanda tivemos uma conversa que me marcou muito. Ela lamentou o fato de sentir que parecia que eu somente a desejava como mãe de meus filhos, e não como minha esposa. Aquilo me doeu. Doeu porque, em parte, era verdade.

Era como se eu estivesse sempre sonhando com uma etapa adiante. Eu vivi o namoro só pensando no casamento. Me casei e só sabia pensar em filhos, depois nos netos; minha cabeça sempre estava no futuro. É claro que devemos entrar em um relacionamento com uma perspectiva futura, porque é essa seriedade que Deus quer de nós em nossos relacionamentos. Mas, naquele momento, o meu coração vivia com uma ânsia maior de viver o futuro do que entender aquilo que Deus queria de mim no presente.

Há um tempo certo para todas as coisas. Deus nos ensina isso na Bíblia em diversos momentos. Ele nos mostra a importância de aprendermos com o processo e não buscarmos apenas chegar ao objetivo final. O próprio Jesus teve um tempo de preparação. Ele viveu por 33 anos antes de cumprir o seu maior propósito aqui na terra, o de morrer para nos salvar.

Quando finalmente começamos a tentar engravidar, fizemos diversos planos. Imaginamos a data em que o bebê nasceria e como seria contar a surpresa para os nossos pais na ceia de Natal, já que na nossa cabeça a Fernanda engravidaria antes dessa data. Montamos um plano perfeito! Mas os planos de Deus foram bem diferentes. Passamos por algumas ceias de natal sem a notícia de que teríamos um filho. Nesse tempo, eu vivi altos e baixos. Tive momentos de muita certeza e esperança e outros de muita crise e angústia. Mas o mais importante de tudo isso foi poder ver como Deus esteve o tempo todo conosco e como o nosso casamento se fortaleceu em dias de angústia.

Existiram diversos momentos durante esse tempo que foram marcantes para mim, mas tem um em especial que eu gostaria de compartilhar. Era dia dos namorados e eu e a Fernanda fomos ao culto. Em determinado momento, o pastor pediu para que três voluntários fossem ao palco fazer uma declaração para sua namorada ou esposa. Eu sou bem romântico e gosto de declarações públicas, então logo me voluntariei. Não lembro exatamente as palavras que usei para me declarar, mas elas foram recebidas com aplausos e um sorriso envergonhado da Fernanda.

Quando terminei, fui me sentar satisfeito com aquela demonstração de amor. Então, o rapaz que se voluntariou depois de mim subiu ao palco. Ele pega o microfone, olha para sua esposa, que estava rodeada de muitas crianças, e diz: "Meu amor, eu não tenho palavras bonitas nem um discurso para te dizer, mas a maior prova do meu amor por você está aí", enquanto apontava para seus cinco filhos. A igreja foi à loucura. Parecia um estádio de futebol quando um time faz um belo gol. Todos se levantaram, aplaudindo-o enquanto gritavam: "Já ganhou! Já ganhou!". Eu mesmo entrei na brincadeira, o abracei e levantei o seu braço como um vencedor em uma luta de boxe. Mas por dentro eu estava devastado.

Aquele rapaz não me conhecia, não sabia o que estávamos passando ao tentar engravidar, muito menos o quanto aquela situação poderia me magoar. Mas foi inevitável. Depois de toda aquela cena, eu me sentei com os olhos cheios de água, enquanto a Fernanda pegava na minha mão e me dizia que chegando em casa a gente conversaria.

Pensamentos tomavam conta da minha mente: *Será que eu não sou homem o suficiente? Será que sou menos homem por não conseguir ser pai?* Eu sabia que não era infértil, pois já havia feito exames, mas ainda assim essa situação afetava diretamente o meu senso de masculinidade. É interessante porque, em nossa sociedade, ser másculo está muito ligado ao sucesso em ter muitos filhos. Enquanto isso não acontecia comigo, era como se a minha masculinidade estivesse sendo questionada.

Então, Deus começou a trabalhar em mim.

Quando chegamos em casa naquela noite, decidi abrir o jogo para a Fernanda e dizer tudo o que estava em meu coração durante todo esse tempo. Quão libertador é poder ser vulnerável! Compartilhei os meus medos, inseguranças e frustrações. No final dessa conversa, nós oramos juntos. Naquela oração fui sincero e falei para Deus o quão chateado eu estava por ver várias pessoas conseguirem engravidar ao meu redor, e nós não. Disse ao Senhor o quanto o meu coração havia se amargurado e perdido a perspectiva daquilo que era belo. Reconheci que os meus olhos, há muito tempo, só conseguiam focar aquilo que não tínhamos.

Enquanto eu fazia aquela oração honesta a Deus, um peso gigantesco que eu carregava há muito tempo começava a sair dos meus ombros. Parece que, à medida que as palavras saíam da minha boca, Deus colocava uma paz sobrenatural em meu coração. Ele me trazia à memória todos os motivos de gratidão que eu poderia ter em minha vida naquele momento. Eu tinha um casamento maravilhoso, pais amorosos e apoiadores, emprego, saúde e amigos próximos. Acima de tudo, o principal: Deus me mostrou que ele sempre esteve ao meu lado. Em cada etapa. Eu o sentia claramente ali naquela oração chorando comigo.

A partir desse momento, Deus começou a lapidar o meu caráter. Ele abriu os meus olhos para o entendimento de que ser um homem de verdade vai muito além de somente "perpetuar a espécie", prover financeiramente e proteger a sua esposa. Deus queria me mostrar que o homem, marido e pai que ele gostaria que eu fosse tinham a ver com o caráter que ele queria moldar em mim. Assim, eu precisava me permitir ser quebrado, a ponto de ser vulnerável e verdadeiro com a minha esposa.

Ao ver a Fernanda sofrendo com as tentativas de engravidar e passando por tantos exames dolorosos, eu me sentia na obrigação de ser forte por ela. Mas o fato de só querer passar uma imagem de força não deixava eu me abrir com ela, nem com Deus, nem com ninguém. Eu coloquei o meu coração em um lugar de amargura enquanto eu demonstrava uma falsa força. Foi ao me despir emocionalmente para a minha esposa e espiritualmente para Deus que encontrei uma oportunidade de ser verdadeiramente fortalecido. O meu relacionamento com a Fernanda se aprofundava, enquanto o meu relacionamento com Deus se fortalecia.

A paternidade tão sonhada por mim não começou no momento em que descobrimos a gravidez ou em que peguei os bebês no colo pela primeira vez. Todo aquele processo de tentativas de gravidez já estava me moldando para ser quem eu sou hoje. Ele me preparou para ser o pai que busco ser agora. Viver verdadeiramente aquela etapa difícil foi o que me fez desfrutar da alegria do agora, pronto para enfrentar os desafios presentes com mais sabedoria.

Neste momento em que estou escrevendo, está fazendo muito frio lá fora. Meus dedos estão gelados e fico imaginando como seria se estivesse calor e eu pudesse estar de short, andando descalço, desfrutando de um dia lindo. Eu até tento imaginar, mas o vento gelado batendo sobre as pontas dos meus dedos neste teclado me lembra que estou com frio. Acredito que a nossa fé e esperança muitas vezes operam da mesma forma. Eu sei que, na minha cidade, o frio é algo passageiro e, por mais que agora não sinta o calor desejado, ele virá.

Homem, se você hoje está passando por algo parecido, eu quero te lembrar que o nosso Deus está no controle. É difícil imaginar, eu sei. Mas esses dias frios, cinzas e cheios de incertezas vão passar. Enquanto eles não passam, não fique tentando imaginar como serão os dias de verão ou tentando viver esse calor agora. Entregue-se ao frio, agasalhe-se com o amor da sua esposa e sinta o conforto do Espírito Santo. O momento que você está vivendo é o agora. O que o Senhor tem para te ensinar hoje? Como você pode se tornar um homem melhor hoje?

A BASE QUE SUSTENTA

De todo o tipo de saúde que um casamento pode ter, seja financeira, emocional ou espiritual, a mais importante e que frequentemente deixamos passar é a última. A Bíblia afirma que devemos buscar em primeiro lugar o reino de Deus, e todas as outras coisas nos serão acrescentadas (Mateus 6:33). A busca por Deus não ignora as outras áreas da nossa vida, mas ela precisa ser a base para que todas as outras possam funcionar bem.

> Se o SENHOR não edificar a casa, em vão trabalham os que a edificam; se o SENHOR não guardar a cidade, em vão vigia a sentinela. (Salmos 127:1)

Podemos ter a melhor organização financeira, saber muito bem lidar com as nossas emoções e sermos superconectados ao nosso parceiro, mas, se não temos como base uma vida espiritual ativa, existem grandes chances de o casamento não se sustentar.

Ouvimos com muita frequência a frase "Família é plano de Deus". Mas você já parou para pensar no que isso quer dizer? Se voltarmos ao início de tudo, no livro de Gênesis, encontramos a primeira família formada por Adão e Eva. Eles foram criados à imagem e à semelhança de Deus para desfrutarem desta Terra, formando o perfeito time de três. Adão e Eva cuidavam do jardim, enquanto Deus supria todas as necessidades deles. Eles viviam em perfeita harmonia, até que se depararam com o seu primeiro desafio.

> Se não temos como base uma vida espiritual ativa, existem grandes chances de o casamento não se sustentar.

Era um dia comum no Jardim do Éden. Adão e Eva viviam nus e tinham uma vida tranquila presenteada por seu Criador. Eles podiam sentir e ser visitados por sua presença em um mundo sem maldades. Ali, Deus os advertiu de que poderiam comer os frutos de todas as árvores, menos de uma, que lhes custaria a vida. Foi dito e feito. Tentada pela serpente, Eva come o fruto, oferecendo-o também a Adão, e a partir daí a história toma um novo rumo.

A Bíblia não relata os desafios diários de Adão e Eva como casal, mas ela nos deixa claro que o seu maior desafio foi o espiritual. Desde o princípio da humanidade, a instituição do casamento passa por ataques. Isso acontece porque o casamento faz parte do plano original de Deus para nós. Ignorar o fato de que vivemos em um mundo mau e de que existe uma batalha espiritual acontecendo todos os dias dentro dos nossos lares é ter uma visão ingênua e romântica demais sobre o casamento.

No capítulo três, entendemos que a batalha dentro do casamento não deve ser de um contra o outro, mas é uma batalha espiritual (Efésios 6:12). Ao nos atentarmos a isso, nos colocamos em uma posição de alerta e abrimos os nossos olhos e ouvidos espirituais. Para isso, é preciso que se forme um time de três dentro do casamento: você, seu cônjuge e o Senhor.

> É preciso que se forme um time de três dentro do casamento: você, seu cônjuge e o Senhor.

Durante nossos dez anos de relacionamento, eu e o Rafa passamos por algumas fases em nossas rotinas espirituais, nem sempre perfeitas. Nós dois fomos criados dentro da igreja e vivemos alguns contextos parecidos de vida espiritual. Quando entramos no casamento, tínhamos formas diferentes de nos relacionar com Deus, o que não era um problema, mas precisaríamos juntos construir também uma rotina espiritual como casal. Nós sempre entendemos a importância disso e, por mais que ainda falhemos, temos buscado cada vez mais fortalecer o nosso casamento em Deus, e menos em nós mesmos.

Existem diversas formas que um casal pode encontrar para viver uma vida espiritual ativa e frutífera dentro do casamento. Aqui vou listar três delas que tivemos a oportunidade de observar em casais mais velhos com um casamento forte espiritualmente, e temos buscado aplicar em nosso relacionamento nesses dez últimos anos.

Priorize a sua própria vida espiritual

Existe um convite diário de Deus para nós: o de um relacionamento pessoal com ele. Não há como ter expectativas sobre a vida espiritual no casamento se antes não olharmos para a nossa própria vida espiritual. A vida espiritual do casal é apenas um reflexo da vida espiritual individual de cada cônjuge.

As nossas tentativas de gravidez foram um tempo muito frutífero espiritualmente para mim. Estar nesse lugar de dependência total de Deus me levou a um nível muito mais profundo em meu relacionamento com Ele. A cada "não" que eu recebia, o Senhor me ensinava algo diferente. Foram tantos aprendizados, que eles se tornaram um livro, literalmente.[4]

> Não há como ter expectativas sobre a vida espiritual no casamento, se antes não olharmos primeiro para a nossa própria vida espiritual.

Do outro lado estava o Rafa vivendo o seu próprio processo com o Senhor, muito diferente do meu. Por muitos meses, ele estava amargurado com a frustração de não ser pai, e eu conseguia ver isso nitidamente. Em diversos momentos, a minha vontade era de chacoalhá-lo para que ele enxergasse as coisas da forma que eu estava enxergando. Mas eu sabia que o mais importante naquele momento era respeitá-lo e acolhê-lo. Eu orava para que Deus abrisse os seus olhos espirituais para esse momento especial da espera. Muitas vezes, quando eu compartilhava aquilo que o Senhor estava me ensinando, ele abria o coração e até admirava tudo que eu estava vivendo com Deus. Porém, ele ainda não estava disposto a entender os planos de Deus e aceitá-los.

Eu tenho certeza de que, se eu tivesse o pressionado para viver o mesmo que eu, o bloqueio dele seria ainda maior e isso só nos afastaria como casal. Contudo, estar ali

[4] WITWYTZKY, Fernanda. *Enquanto isso*. São Paulo: Editora 4 ventos, 2020.

orando por ele e demonstrando aquilo que Deus me ensinava funcionava como pequenas sementes em seu coração. Com o tempo, pude perceber Deus quebrando o coração do Rafa, em um tempo diferente e de uma forma diferente da que ele havia feito comigo. Passamos então a fortalecer o nosso espírito juntos enquanto lidávamos com a frustração. Foi um tempo muito especial em nosso casamento.

É muito importante o entendimento de que não podemos esperar que o nosso cônjuge se relacione com Deus da mesma forma que nós o fazemos. Cada um tem a sua individualidade e sua forma de se conectar com o Senhor, assim como ele tem maneiras diferentes de falar conosco. O melhor que podemos fazer nessa caminhada espiritual é incentivar um ao outro em sua busca, e a forma mais eficaz é o exemplo.

Algumas pessoas têm hábitos espirituais antes de se casar e depois do casamento acabam por abandoná-los. É verdade que a vida familiar exige uma rotina de cuidado com a casa e com filhos, mas isso não pode impedir que a vida devocional continue sendo uma prioridade.

> A vida familiar exige uma rotina de cuidado com a casa e com filhos, mas isso não pode impedir que a vida devocional continue sendo uma prioridade.

Meses após o nascimento dos gêmeos, eu tive muita dificuldade em seguir com uma rotina espiritual. O que fazia eu me sentir muito mal, pois durante o tempo de espera pela gravidez eu estive muito próxima do Senhor. Era como se eu o tivesse abandonado depois que ele nos presenteou com aquilo que esperávamos. De certa forma, era verdade. Comecei a encontrar novas formas de me relacionar com Deus, dentro da realidade de um lar com filhos. Se eu não conseguia mais sentar por meia hora no sofá para orar sozinha, faria isso enquanto amamentava. Se a minha chance de ler a Bíblia era durante um rápido café da manhã, assim eu o faria. Essas pequenas atitudes foram trazendo de volta o meu coração ao lugar certo.

Durante os momentos de espera pela gravidez, eu pude encontrar em Deus tudo aquilo de que eu precisava. Somente o Senhor era capaz de consolar o meu coração por completo e trazer o renovo necessário. O meu marido também foi importante nesse processo de acolhimento, mas somente Deus poderia fazer o trabalho completo. Da mesma forma, quando me deparei com os desafios da maternidade, o Senhor continuou sendo a minha maior fortaleza, não o meu marido.

Quando colocamos o nosso relacionamento com Deus como prioridade, aprendemos a amar a Deus acima de todas as coisas, inclusive mais do que amamos ao nosso cônjuge. Quando invertemos essa ordem, colocamos expectativas sobre o nosso casamento que só Deus pode suprir. Existem coisas que somente o Senhor em seu amor fará por nós.

Orem juntos!

Você já percebeu que a oração muitas vezes acaba sendo utilizada como o nosso último recurso? Diante de uma vida corrida com tantos afazeres, só recorremos à oração quando parece que já não damos mais conta. Porém, se olharmos a oração como o combustível da vida cristã, invertemos essa ordem e colocamos a vida de oração como prioridade em nossas vidas. Afinal, sem ela é impossível caminhar com Deus.

Dentro do casamento, isso também precisa ser uma realidade. Quando falamos de oração, não estamos nos referindo apenas a orações mecânicas que fazemos ao agradecer o alimento ou antes de ir dormir. A oração que faz parte de uma vida espiritual saudável dentro do casamento é a que traz intimidade para o casal e, consequentemente, os leva para mais perto de Deus.

Duas pessoas que se disponibilizam a abrir o próprio coração diante de Deus na presença uma da outra encontram uma nova forma de ter mais intimidade entre si. Foi em momentos de orações sinceras que pude verdadeiramente conhecer o Rafa e ele a mim. E esse é apenas um dos diversos benefícios para os casais que oram juntos.

Duas pessoas que se disponibilizam a abrir o próprio coração diante de Deus na presença uma da outra encontram uma nova forma de ter mais intimidade entre si.

Outra forma de orar com o seu cônjuge é orando por ele. Observe a diferença entre essas duas situações. A primeira é alguém que chega em casa depois de um dia cansativo e despeja em seu cônjuge todas as suas frustrações, esperando que ele as resolva. A segunda é de alguém que, ao abrir a porta de casa, faz um pedido ao seu cônjuge: "Você pode orar por mim?".

No primeiro cenário, as chances de encontrarmos um casal desconectado e sobrecarregado são grandes. No segundo, podemos ver duas pessoas que se conectam emocionalmente e espiritualmente. Ao pedir que o nosso cônjuge ore por nós, demonstramos humildade e reconhecemos as nossas limitações. Entendemos que o outro não é o culpado, nem o responsável por resolver todos os nossos problemas.

Ao orar por nosso cônjuge, demonstramos que nos importamos com ele e que ele pode contar conosco espiritualmente.

> Portanto, confessem os seus pecados uns aos outros e orem uns pelos outros para serem curados. A oração de um justo é poderosa e eficaz. (Tiago 5:16)

Através da oração no casamento, também podemos encontrar o perdão. Ao orarmos juntos, temos mais disposição a perdoar, pois é através da oração que nós mesmos somos perdoados por Deus. Lembro de momentos em que eu e o Rafa pedimos perdão um para o outro em oração, reconhecendo que, ao falharmos um com o outro, também estávamos falhando com Deus.

Se orar com o seu cônjuge é um momento constrangedor e desconfortável, provavelmente vocês estão precisando gastar mais tempo em intimidade na presença do Senhor. O lugar da oração em casal não é um lugar de julgamento entre o casal, mas de humildade e temor na presença de Deus. Nesse lugar o casal pode aprofundar o seu relacionamento um com o outro e com o Senhor, além de encontrar forças para fugir das tentações (Mateus 26:41). Através da oração, entendemos que só podemos fortalecer verdadeiramente o casamento em Deus, e não em nossas próprias capacidades. A Bíblia nos diz no livro de Filipenses:

O lugar da oração em casal não é um lugar de julgamento entre o casal, mas de humildade e temor na presença de Deus.

> Não andem ansiosos por coisa alguma, mas em tudo, pela oração e súplicas, e com ação de graças, apresentem seus

> pedidos a Deus. E a paz de Deus, que excede todo o entendimento, guardará o coração e a mente de vocês em Cristo Jesus. (Filipenses 4:6-7)

A Bíblia nos assegura que uma vida de oração nos leva a uma vida de paz. Sendo assim, o casamento que tem a oração como prioridade pode desfrutar de um lar de paz — e não é qualquer paz. A paz que vem de Deus, fruto de uma vida de intimidade com Ele, independe das circunstâncias. O casamento pode até passar por dificuldades e momentos de angústia e desespero, mas encontrará na oração a paz de que precisa para continuar a caminhar.

Sirvam a uma comunidade

Um dos hábitos espirituais mais saudáveis tem sido abandonado em nossa cultura nos últimos anos: congregar em uma igreja. As pessoas têm se frustrado com a liderança, com outros membros ou com a forma como a igreja lida com as situações, optando por deixar de congregar. Posicionamentos individuais têm se tornado mais importantes do que uma vida em comunidade. Ao abandonar as suas congregações, essas pessoas passam a caminhar sozinhas, crendo que essa é a melhor opção diante de tantas frustrações.

> É vivendo em um contexto de igreja que aprendemos a servir, a amar uns aos outros e a termos os nossos olhos fixos em Deus.

A Bíblia nos adverte em diversas passagens sobre a importância de pertencermos a uma comunidade. Podemos ter hábitos espirituais dentro dos nossos lares, ao orarmos e lermos a Bíblia, mas fazer parte de uma comunidade local é o que fortalece a nossa vida de fé. É vivendo em um contexto de igreja que aprendemos a servir, a amar uns aos outros e a termos os nossos olhos fixos em Deus. No livro de Romanos, está escrito:

> Assim como cada um de nós tem um corpo com muitos membros e esses membros não exercem todos a mesma função, assim também em Cristo nós, que somos muitos, formamos um corpo, e cada membro está ligado a todos os outros. (Romanos 12:4-5)

Ou seja, o apóstolo Paulo diz que a igreja é como um corpo em que Cristo é a cabeça e cada um de nós funciona como um membro. Dessa forma, podemos entender melhor o perigo de andarmos sós. Todos os membros de um corpo só existem ao estarem juntos. As mãos não existem sem os braços que as carregam, assim como os braços não se sustentam sem os ombros. Cada parte tem a sua importância para que exista um perfeito funcionamento. Da mesma forma, dependemos uns dos outros e prestamos contas ao cabeça, que é Cristo.

No contexto do casamento, a vida em comunidade é de extrema importância. Os benefícios para casais que congregam são diversos.

Ao congregar em uma igreja, o casal tem a oportunidade de conviver com outros casais que compartilham da mesma fé. Ali podemos encontrar casais com mais experiência que nos sirvam de inspiração, e também sermos um incentivo para casais mais novos. Na comunidade, podemos desfrutar do prazer de servir juntos. Servir a outras pessoas além da nossa família é uma maneira de lembrarmos que as nossas vidas não devem girar em torno de nós mesmos. Com seu cônjuge, vocês viverão a alegria de servir ao Senhor como um só.

> Servir a outras pessoas além da nossa família é uma maneira de lembrarmos que as nossas vidas não devem girar em torno de nós mesmos.

Outro benefício dos casais que congregam é prestar contas às outras pessoas sobre a sua vida matrimonial. Nos fortalecemos ao caminhar com outras pessoas, dividindo as nossas dificuldades e orando uns pelos outros. Lembra-se da da importância de pedir ajuda quando necessário diante das crises no casamento? Viver em comunidade é uma ótima oportunidade de ter a quem recorrer.

É claro que ir à igreja não nos garante todos esses benefícios, pois congregar não é como uma fórmula de sucesso. Fazer parte de uma comunidade e se envolver de forma saudável é cumprir a vontade de Deus, e essa precisa ser a nossa maior motivação dentro do casamento. Foi servindo a uma igreja que eu e o Rafa encontramos mais uma oportunidade de ter um tempo com Deus como casal. E, mais uma vez, isso só gerava intimidade entre nós dois e entre nós e o Senhor.

Um bom time é formado por pessoas com habilidades diferentes, e um casamento saudável funciona da mesma forma. Ele não é blindado de desafios, mas equipado com ferramentas e habilidades para que se mantenha forte. Entender que as áreas financeira, emocional e espiritual fazem parte dessa dinâmica abre os nossos olhos para dar a cada uma delas a devida atenção.

Convidar Deus para fazer parte do seu time como o terceiro jogador é a única maneira de obter todas as habilidades necessárias para um casamento duradouro, forte e saudável. A Bíblia nos diz que viver uma vida longe de Deus é como querer construir uma casa sobre a areia:

> Mas quem ouve estas minhas palavras e não as pratica é como um insensato que construiu a sua casa sobre a areia. Caiu a chuva, transbordaram os rios, sopraram os ventos e deram contra aquela casa, e ela caiu. E foi grande a sua queda. (Mateus 7:26-27)

Por outro lado, o casal que se entrega a Deus em todas as áreas e escolhe diariamente colocar em prática a sua vontade poderá desfrutar de um casamento que, apesar dos diversos desafios, permanecerá:

> Portanto, quem ouve estas minhas palavras e as pratica é como um homem prudente que construiu a sua casa sobre a rocha. Caiu a chuva, transbordaram os rios, sopraram os ventos e deram contra aquela casa, e ela não caiu, porque tinha seus alicerces na rocha. (Mateus 7:24-25).

Aperfeiçoando

PERGUNTAS

Vida financeira:

1. Individualmente, liste as suas três primeiras prioridades financeiras. Depois faça com o seu cônjuge uma lista das prioridades financeiras do casal.
2. Vocês têm se organizado financeiramente para que as prioridades individuais e do casal possam ser supridas? Se não, de que forma vocês poderiam se organizar para que isso aconteça?
3. De que maneira vocês têm colocado em prática a generosidade?

Vida emocional:

1. Você se sente confortável em se abrir emocionalmente com o seu cônjuge? Se não, qual você acredita ser o maior empecilho para que isso aconteça?
2. Qual a sua linguagem do amor e qual a do seu cônjuge?
3. Baseado nas respostas anteriores, escreva 3 atitudes que você pode ter com o seu cônjuge para que ele se sinta amado. Em seguida, escreva quais atitudes ele pode ter para que você se sinta amado(a). Depois disso, reservem um tempo para ler com o outro o que vocês escreveram e conversem sobre como podem melhorar nas demonstrações de amor de cada um.

Vida espiritual:

1. Quais hábitos espirituais você tem praticado individualmente?
2. De que maneira você e seu cônjuge podem melhorar a área espiritual no casamento de vocês?
3. Utilizem um plano de leitura bíblica juntos. Escolham um que funcione para a realidade de vocês: seja de um livro específico, seja da Bíblia toda. Recomendo o do Pastor Robert Murray M'Cheyne (as duas primeiras colunas são para a família e as outras duas para a devocional particular).[5]

SUGESTÕES

Cada um, em um papel, faça uma pontuação de zero a dez para essas três áreas do casamento (financeira, emocional e espiritual). Depois juntos, compartilhem as notas que deram e conversem sobre elas.

ORAÇÃO

Em voz alta, façam uma oração entregando todas essas áreas do casamento. Sugiro cada um orar por uma área, para que os dois participem desse momento de forma ativa. Exponha os seus medos, falhas e peça a Deus que os ajude a fortalecer o casamento em todas as áreas. Aproveite esse momento para convidar o Senhor a fazer parte desse time com vocês.

[5] Disponível junto com vários outros em: <https://voltemosaoevangelho.com/blog/2016/12/10-planos-de-leitura-biblica-e-orante-para-2017/>

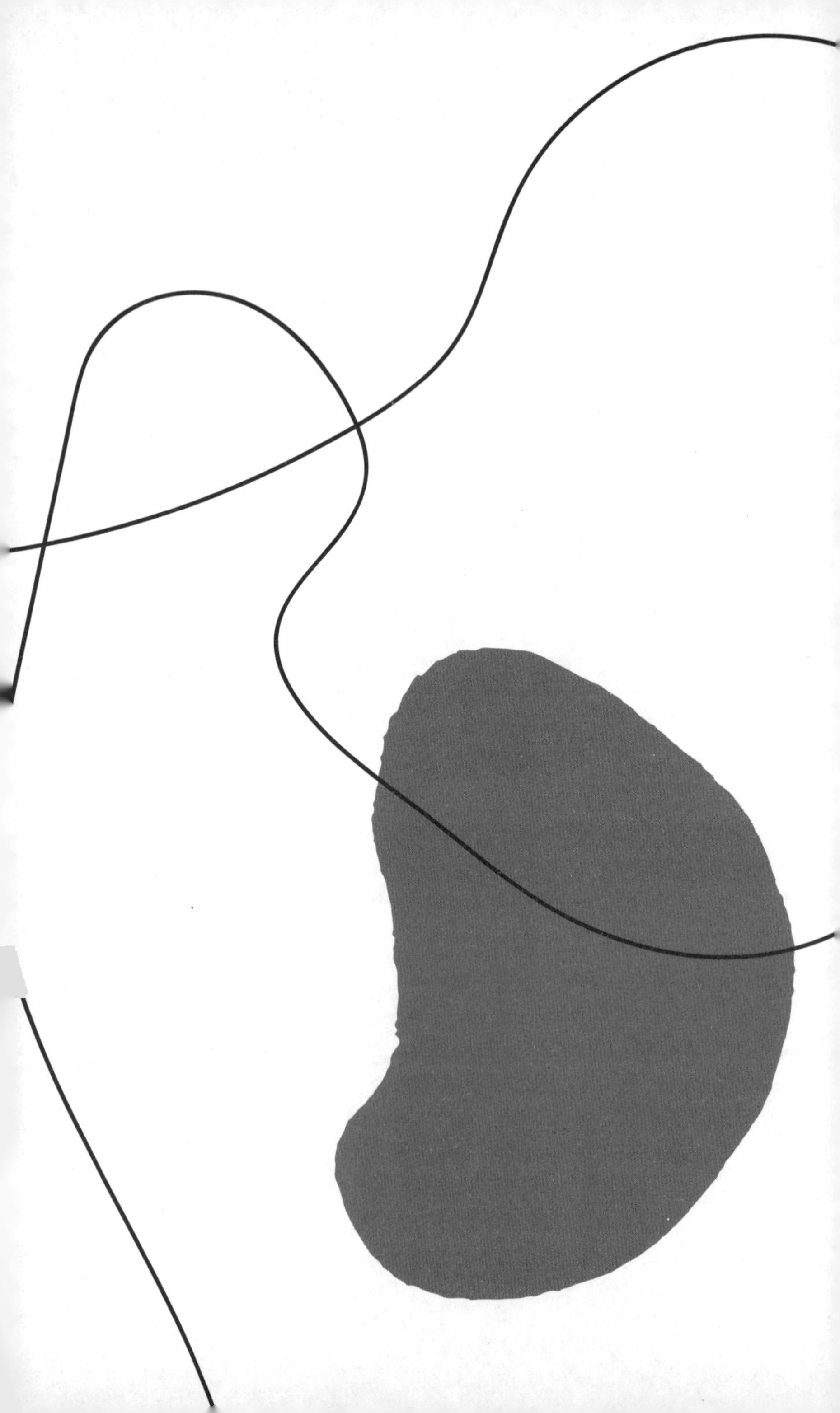

Capítulo 5

LADO A LADO

SER HOMEM IMPORTA

Por Rafael Carrilho

> Coisas que não se encontram onde deviam estar permanecem em estado de inquietude. Uma vez que chegam ao lugar devido, entram em repouso. (Agostinho, Confissões, 13.9.10)

Sempre fui uma pessoa muito curiosa. Lembro que, durante as aulas de português na escola, levava o dicionário e adorava ver a definição de algumas palavras. Às vezes de palavras que eu já conhecia; outras vezes, de palavras novas. Mas o que mais me chamava a atenção era o fato de o dicionário dar uma definição tão precisa sobre palavras que usamos a todo momento. Há palavras cuja definição carrega todo um imaginário; há outras em que basta um sinônimo e tudo já se define.

Para definir qualquer coisa, precisamos impor certos limites — aliás, é exatamente esse o significado de "definir", segundo o dicionário.[1] Quando pensamos em um quadrado, por exemplo, automaticamente excluímos qualquer imagem associada a lados arredondados. São os limites claros de suas características que o colocam dentro de certos pontos e o excluem de outros. E assim é com todas as coisas à nossa volta, desde as mais simples às mais complexas. Mas parece que fugimos cada vez mais de definir qualquer coisa, ainda mais quando se trata de uma pessoa.

Vivemos momentos de fluidez e de liberdade. Ou, como o sociólogo polonês Zygmunt Bauman brilhantemente disse, vivemos tempos líquidos por não manter sua forma com facilidade, não fixar o espaço e não prender o tempo. Posso ser o que quiser, quando quiser, por quanto tempo quiser e onde quiser. Não preciso mais me encaixar dentro de uma definição estática.[2]

Em um estudo científico de Sergio Gomes,[3] o autor faz uma análise histórica das questões de gênero, sexo e sexualidade relacionadas ao homem. Ele mostra que o homem passou por distintos momentos no decorrer da história, refletindo diferentes visões de masculinidade. Até chegarmos à pós-modernidade, em que não existe

[1]Dicionário Michaelis. Disponível em: https://michaelis.uol.com.br/busca?id=ewAQ.

[2]BAUMANT, Zygmunt. *Amor líquido*: sobre a fragilidade dos laços humanos. Rio de Janeiro: Jorge Zahar, 2004.

[3]SILVA, Sergio Gomes da. "Masculinidade na história: a construção cultural da diferença entre os sexos". *Psicol. cienc. prof.* [online]. 2000, v. .20, n.3, pp. 8-15.

mais uma definição estática e universal, o que acaba por gerar uma crise de identidade masculina. Em um trecho de seu artigo, o psicólogo comenta:

> Com a diversidade de culturas, crenças e a pluralidade de identidades psicológicas, sociais, de gênero e sexuais na contemporaneidade, é simplesmente impossível conceber uma hegemonia frente às nossas identidades, porque elas não são fixas, imutáveis, pelo contrário, elas estão constantemente sofrendo mudanças, e a cada década, podemos perceber que cada vez mais a cultura, os modos de vida, de se comportar, de ser e de estar vão se alterando, adequando-se às exigências do próprio tempo.[4]

Em uma das edições de um *reality show* da televisão brasileira, o ator e cantor Fiuk disse uma frase que deu muita repercussão na internet. No contexto do *reality*, ele estava conversando com outra participante, desconstruindo definições que ele tinha sobre gênero, sexo e sexualidade, e, no auge de seu discurso, disse: "Me desculpe por ser homem". Percebemos nessa frase todo um legado de crise e um histórico de falta de identificação. O homem pós-moderno não tem mais bases sólidas para defini-lo e acaba por se basear em ideologias, achismos e correntes sociológicas turvas. E não é difícil chegar ao extremo de rejeitar tudo aquilo que é considerado masculinidade.

Mais do que nunca é necessária uma definição clara e ampla sobre quem é o homem. O mundo ao nosso redor está constantemente tentando nos influenciar,

[4] Ibid., p. 13.

ditar nossos gostos, nos vender um modo de vida e formas de ser. Por isso, precisamos saber muito bem de que fonte queremos beber, pois é é da fonte que bebemos que somos nutridos. Não podemos deixar que nossa identidade como homens seja turva. Nossa masculinidade importa. Precisamos entender qual o nosso papel, de que forma devemos agir e, principalmente, quem é o nosso modelo.

Masculinidade bíblica

Se pararmos para pensar por um momento, podemos imaginar inúmeras definições do que é ser homem. Afinal, a masculinidade é realmente algo amplo. A psicologia, a sociologia, o movimento feminista, os filmes, a biologia, todos têm uma definição para o que é ser homem. Porém, como cristãos, devemos pautar nossas atitudes e a forma como vemos o mundo em uma cosmovisão cristã. É por meio da Bíblia que temos um norte sobre questões primordiais, como quem somos e o que devemos fazer no mundo. Neste capítulo, vamos juntos aprender sobre como ser um homem segundo o coração de Deus.

Certa vez, meu pastor e amigo Yuri Breder comentou uma analogia muito interessante que ele havia lido no livro A *treliça e a videira*.[5] O livro fala sobre estruturas de igreja e ministério: o discipulado seria a vida da igreja, ou seja, a videira. Porém, precisamos de uma treliça para sustentá-la. Se investirmos apenas no discipulado, a videira cai sobre seu próprio peso e se sufoca. Investir

---

[5]PAYNE, Tony; MARSHALL, Colin. *A treliça e a videira*. São José dos Campos: Fiel, 2018.

numa estrutura como a treliça é primordial para que essa videira se desenvolva e cresça. Mas, se gastarmos tempo apenas na treliça, estaremos invertendo a ordem das coisas. De que adianta ter uma treliça muito bonita se nela há uma videira pequena e desnutrida?

A videira é o mais importante, a essência. Mas ela precisa de estruturas externas para se manter formosa e frutífera. Agora imagine a masculinidade como parte importante de uma treliça que irá nos ajudar a alcançar uma vida de santidade e transformação. Não podemos gastar tempo apenas pensando na treliça e em quais são as características da nossa masculinidade se não gastamos tempo cultivando a verdadeira videira, que é nosso relacionamento íntimo com o Criador.

Li um livro, há alguns anos, chamado *O silêncio de Adão*. Nele o autor discorre sobre a masculinidade bíblica e diz uma frase que retrata exatamente a questão de preocupar-se com o essencial:

> A única maneira de ser viril é, antes, ser piedoso. Em nossos dias, os homens estão procurando mais sua masculinidade do que estão procurando a Deus. Há homens demais cometendo o erro de estudar a masculinidade e de tentar praticar o que aprendem, sem prestar atenção suficiente em seu relacionamento com Deus.[6]

Ao lermos o livro de Gênesis, percebemos que Deus tem um propósito e uma forma clara de funcionamento para o mundo que ele criou. Cada planta, animal ou

---

[6]CRABB, Larry. *O silêncio de Adão*. São Paulo: Vida Nova, 2005. p. 35.

elemento da natureza tem um propósito dentro de um todo. E não foi diferente com o ser humano. Deus nos criou à sua imagem e à sua semelhança e nos colocou no mundo com um propósito específico como homens. Adão representava todos os homens, especialmente as nossas maiores falhas. Porém, Deus envia o seu próprio Filho para redimir a nossa humanidade e, com ela, restaurar nossa masculinidade. Jesus veio para mostrar o que é ser um homem de verdade.

Se traçarmos um paralelo do primeiro homem (Adão) com o último (Jesus), podemos ver três situações nas quais ambos agiram de formas totalmente antagônicas, e tirarmos delas aprendizados importantíssimos sobre a verdadeira masculinidade.

Ausência

> Mas o Senhor Deus chamou o homem, perguntando: "Onde está você?". (Gênesis 3:9)

No terceiro capítulo de Gênesis , acompanhamos a serpente tentando a mulher a se alimentar do fruto que Deus havia proibido. Todos conhecemos essa parte da história e costumamos culpar Eva por haver comido do fruto proibido e depois convencer Adão a comê-lo. Mas observe a ausência de Adão. Onde ele estava nesse momento? Adão não cumpriu seu papel de se fazer presente e estar ao lado de sua mulher em sua maior crise moral e espiritual.

Trazendo isso para a nossa vida, podemos perceber esse mesmo pecado em diversas oportunidades, seja trabalhando demais e não estando presente em casa, ou mesmo quando entramos em nossa "caixinha masculina" dentro de casa para não estarmos de fato presentes.

Jesus é um grande exemplo de como ser verdadeiramente presente.

> Jesus, porém, foi para o monte das Oliveiras. Ao amanhecer, ele apareceu novamente no templo, onde todo o povo se reuniu ao seu redor, e ele se assentou para ensiná-lo. (João 8:1)

Aqui vemos que Jesus teve um momento a sós no monte. Ele se fazia ausente para se conectar com o Pai. Porém, logo em seguida, vemos que Jesus aparece novamente no templo ao amanhecer, quando todos o esperavam para seus ensinamentos. Isso mostra que havia certa rotina: ele descia para o templo para estar com as pessoas e ensinar. Jesus se fazia ausente para estar presente com Deus.

Seguindo esse texto, temos a conhecida história da mulher que foi pega em adultério e trazida pelos fariseus para que fosse apedrejada. Jesus se fez verdadeiramente presente naquele momento, quando se posicionou e disse:

> Se algum de vocês estiver sem pecado, seja o primeiro a atirar pedra nela. (João 8:7)

E assim aquela mulher adúltera, pecadora e condenada foi redimida. Ela teve sua vida salva de uma morte lenta e dolorosa, porém, mais do que isso, recebeu perdão pelos seus pecados e uma nova vida em Cristo.

É gritante a diferença de atitude entre Adão e Jesus nesses casos, não é mesmo? Precisamos entender que, quando nos ausentamos, perdemos oportunidades de transformar a vida das pessoas à nossa volta. A nossa presença é justamente o primeiro ponto, porque não podemos tomar atitude alguma se não estamos presentes.

Uma das questões que percebo sobre a ausência dos homens é que, no geral, ela está muito ligada ao trabalho. Deus nos chamou para colocar a mão na massa e trabalhar, mas pode acabar existindo certo desequilíbrio nessa área. Muitos homens sacrificam horas e horas para construir determinado futuro. Claramente, não existe problema em correr atrás de coisas melhores para a família, mas precisamos estar atentos aos sinais de que algo que deveria ser uma bênção está se tornando um empecilho. É preciso tomar cuidado quando a casa parece sempre pequena, o carro, muito velho, e, o celular, desatualizado demais.

Você já perguntou à sua esposa, ou ao menos teve uma boa conversa com ela, sobre a quantidade de horas que você passa trabalhando? Será que você realmente precisa trabalhar tanto? Ou será que às vezes não seria melhor ganhar um pouco menos e ter mais qualidade de vida e tempo em família?

É muito comum o homem cair no erro de atrelar a masculinidade ao desempenho profissional. "Se sou bem-sucedido,, me sinto um homem de verdade." Essa falsa sensação de masculinidade é perigosa porque nos veremos em uma rodinha de hamster, sempre correndo, nos esforçando ao máximo e cansados, mas sem chegar a lugar algum. É fato que o trabalho é importante e digno de nosso esforço. Como homens, também devemos ser profissionais de excelência. Contudo, vale lembrar que o lar sempre será a prioridade e que não existe padrão de vida que substitua a importância da presença de um homem dentro de casa.

Omissão

> Quando a mulher viu que a árvore parecia agradável ao paladar, era atraente aos olhos e, além disso, desejável para dela se obter discernimento, tomou do seu fruto, comeu-o e o deu a seu marido, que comeu também. (Gênesis 3:6)

No final do versículo, vemos que Eva comeu o fruto e deu a seu marido para comer também. Simples assim. É como se ela estivesse comendo um pedaço delicioso de pizza de calabresa, oferecesse ao seu marido e ele, sem nem pensar, comesse também. O texto não mostra em nenhum momento Adão pensando algo como "Opa! Não é esse o fruto que Deus nos proibiu?" ou "Será que não é melhor conversarmos primeiro se isso está certo?" — ou melhor "Isso está errado, vou falar com Eva e não vou comer". Mas não. O texto nos mostra um Adão omisso, passivo e sem atitude alguma diante de uma situação grave que pedia uma atitude firme.

Se olharmos bem para a nossa vida, talvez não estejamos muito longe dessa mesma atitude de Adão, certo? Quantas vezes deveríamos tomar uma atitude firme diante de algo que sabíamos ser errado e não fizemos nada? Quantas vezes já nos calamos quando era preciso dizer "não"?

Em contrapartida, vemos Jesus. Ele tomou as atitudes necessárias e foi firme a todo momento. Foi firme com seus discípulos, com as autoridades romanas, com os fariseus e com o próprio diabo, ao ser tentado. Jesus nos deixou inúmeros exemplos em que agiu com autoridade e sabedoria. Diferentemente de atitudes impulsivas como a de Moisés batendo na rocha ou a de Pedro ao arrancar a orelha do servo do sumo sacerdote, Jesus nos deixou exemplos de atitudes pautadas em sabedoria. Atitudes que vinham para ensinar, reparar e abençoar.

Não podemos cair no erro dos extremos. De um lado, vemos o extremo da omissão em que homens "bananas" não se posicionam, não defendem seus ideais e, muito menos, se colocam à frente de seus lares. Do outro lado, vemos o "macho alfa", que é autoritário, violento e controlador. Ele se posiciona de maneira impulsiva e oprime sua esposa e seus filhos com suas atitudes.

Eu sei que em diversos momentos temos o medo de errar por não saber exatamente como agir. Eu mesmo às vezes me vi diante do escuro, sem saber o que fazer em determinadas situações. Uma delas foi quando estávamos decidindo ir para a Espanha para fazer um mestrado. Tudo estava indo superbem no Brasil. A Fernanda administrava com sucesso uma loja de arranjos em flores, eu trabalhava em uma escola excelente que me dava um bom salário, estávamos engajados na igreja e perto da nossa família. Eu não sabia se era o momento de largar tudo isso e entrar na incerteza de viver por dois anos em uma cidade onde não conhecíamos nada, nem ninguém. Não podia ser uma decisão meramente emocional.

Eu não queria ser como Adão e agir de forma omissa numa situação de incerteza. No escuro de não saber se a nossa ida daria certo ou não, decidi orar, pedir direcionamento de Deus e agir. Fomos para a Espanha! Foi um tempo de crescimento espiritual muito grande, além de um fortalecimento importante em nosso casamento. Essa etapa mudou o rumo da nossa história, e como foi bom ter participado ativamente com Deus desse processo.

A omissão a curto prazo pode parecer o caminho mais fácil e cômodo a ser seguido. Mas a longo prazo ela é uma mina de desconfiança plantada no seio da família contra o omisso. Sendo assim, escolher o caminho da atitude é caminhar em direção à família e, consequentemente, à vontade de Deus.

Egoísmo

> Disse o homem: "Foi a mulher que me deste por companheira que me deu do fruto da árvore, e eu comi". (Gênesis 3:12)

Depois de comido o fruto, Deus chama Adão. Ele já sabia que Eva havia comido o fruto primeiro, mas decide chamar o homem, mostrando claramente quem deveria prestar contas sobre o ocorrido. Após questioná-lo, Adão imediatamente se esquiva da culpa e exclama: "Foi a mulher que me deste por companheira que me deu o fruto da árvore, e eu comi" (v. 12). Além de ter sido ausente e omisso, Adão finaliza esse episódio com uma atitude covarde. Em um ato desesperado de vergonha diante de Deus, Adão escolhe o egoísmo como saída para o seu pecado.

Em contrapartida, vemos Jesus no caminho oposto: o caminho do serviço e da humildade. Não é à toa que muitos não creram que Jesus era o Messias, por não levantar um exército para livrar o seu povo, nem trazer a espada diante daqueles que o oprimiam. Ao contrário, ele se fez homem como nós e veio ao mundo para se entregar e morrer. Em troca de quê? De ser humilhado, perseguido e rejeitado. Jesus não pensou no que ele poderia ganhar com suas atitudes, mas com o que todos nós ganhamos: a vida eterna. Atitudes de serviço trazem vida!

Quando aplicamos esse exemplo à nossa realidade como homens, entramos mais uma vez em um paradoxo. "Como o cabeça do lar se coloca em uma posição de servir?" Em Efésios, o apóstolo Paulo nos ensina:

> Maridos, amem suas mulheres, assim como Cristo amou a igreja e entregou-se a si mesmo por ela. (Efésios 5:25)

É muito fácil falar sobre a submissão da mulher ao homem quando não tomamos esse versículo em consideração. Deus pede submissão à mulher em um contexto no qual o homem a ama e se sacrifica como Cristo o fez pela Igreja. Esse é o serviço que o Senhor nos pede. Jesus abre mão de sua própria vida e renuncia a seus desejos para se entregar por nós. Esse amor é sacrificial, não egoísta. O amor que Deus nos chama a ter pela esposa é o ágape, o amor sacrificial, não apenas um amor *eros*, cheio de paixão e afetos.

Desde que me tornei pai, Deus tem me ensinado na prática esse amor sacrificial. Os primeiros meses com um bebê são bem cansativos. São muitas horas sem dormir e a mulher acaba tendo uma sobrecarga maior por também ter que amamentar. Nós precisamos estar atentos às necessidades da nossa esposa e ter uma sensibilidade maior em perceber os momentos que precisamos agir com esse amor sacrificial.

Eu te convido a todos os dias, quando você chegar em casa cansado do trabalho, lembrar que a sua prioridade é o lar. Muitas vezes podemos cair na falsa ilusão de que nosso lar é apenas um lugar de descanso e passividade. Porém, o lar é lugar de formação. É onde Deus continuamente trabalha em nós e nos dá oportunidades diárias de servirmos. Pergunte a si mesmo diariamente o que você poderia fazer pela sua esposa que expresse na prática o amor que Jesus tem por sua Igreja.

Homem na prática

Confesso que escrever isso tudo tem sido uma experiência de muito aprendizado para mim. Tenho aprendido como o processo de santificação em nossa vida também passa por buscar ser o homem que Deus nos criou para ser.

Vemos que a masculinidade é complexa e profunda. Não podemos ver apenas o aspecto biológico e cairmos no erro de sermos guiados por isso. Afinal, seríamos apenas um bicho com instintos e necessidades físicas a serem atendidas. Também não podemos cair no erro de sermos guiados apenas pela masculinidade enquanto comportamento, seguindo atitudes que são socialmente e culturalmente consideradas como masculinas. Você já parou para pensar em como aprendemos a ser homens? Ou quem nos ensina a ser homens?

Observando as atitudes dos meus filhos em casa, eu percebo a importância das nossas atitudes como pais. Eles imitam nossas caretas, repetem o que falamos, testam os limites quando não os deixamos pintar a parede ou jogar a comida do prato no chão. Nosso lar é o primeiro lugar onde aprendemos sobre o mundo, nosso papel nele e de que forma devemos agir — tanto como indivíduos quanto como homens e mulheres.

Lembro que, desde muito pequeno, observei intencionalmente a forma como meu pai se comportava dentro de casa. Ele sempre foi um exemplo incrível de homem e isso me marcou de uma forma profunda até hoje. Sempre calmo e humilde, nunca o vi olhar com malícia para outras mulheres; sempre o vi sendo respeitoso com a minha mãe, honesto, íntegro e profundo conhecedor da Palavra de Deus. Todos os dias eu o via lendo a Bíblia e depois conversando sobre o que havia lido. Você deve estar pensando o mesmo que por muito tempo eu pensei: "Nossa, que homem perfeito!". Porém, com o tempo e mais maturidade, fui percebendo que, assim como todos nós, meu pai também tinha suas falhas e erros enquanto homem.

Mais do que apenas enxergar as suas falhas, pude perceber que algumas delas também estavam presentes em mim. O processo de tirar meu pai de um lugar de perfeição me ajudou a entender que a masculinidade não tinha a ver com ser um homem perfeito, e sim com ter um coração ensinável. O meu pai constantemente reconhecia os seus erros em vez de pretender passar a imagem de homem perfeito. No fim das contas, com o impacto de suas qualidades, meu pai plantou em mim um desejo de reconhecer que eu precisava melhorar.

Caso você não tenha um bom exemplo de homem dentro de casa, a boa notícia é que não aprendemos apenas com os nossos pais sobre masculinidade. Existem várias outras pessoas à nossa volta que podem nos influenciar: um avô, um tio, um amigo ou pessoas mais distantes, como um homem que você admira. Somos pessoas constantemente sofrendo algum tipo de influência; a questão é a quem nós temos imitado. A Palavra de Deus nos diz:

> Aquele que anda com os sábios será cada vez mais sábio, mas o companheiro dos tolos acabará mal. (Provérbios 13:20)

A Bíblia está cheia de versículos como esse nos quais lemos a força que a influência pode ter sobre nós e o quanto podemos ser mais parecidos com aqueles com quem passamos tempo. É muito importante ter homens à nossa volta que vão nos ajudar na caminhada de construção da nossa masculinidade, homens que vão nos discipular em um caminho de santidade e crescimento. O próprio ato de buscar homens como exemplo já nos faz nadar contra a correnteza, pois nos coloca em uma posição de vulnerabilidade.

Lá na Espanha, eu e a Fernanda passamos por uma grande crise no nosso casamento. Foi um período muito difícil para nós e eu decidi que buscaríamos ajuda de um casal para que nos discipulasse. Foi um tempo riquíssimo para a minha vida como homem e marido. Prestar contas das minhas atitudes a um homem que eu admirasse e poder ser vulnerável sem julgamentos foi um bálsamo em meio a tantas dificuldades.

Vejo muitos homens à minha volta que têm muita dificuldade em pedir ajuda e em se permitir ser acompanhados. Parece existir certo bloqueio nos homens ao ter que pedir ajuda. Em uma roda de amigos, provavelmente não ouvimos comentários como "Estou com dificuldades em me abrir com a minha esposa. O que vocês fazem?" ou "Pequei nesta semana e vi pornografia. Vocês podem orar por mim?". Se sabemos que já existe uma dificuldade natural masculina em se abrir em público, a conversa íntima com um outro homem mais experiente e de confiança pode ser a solução.

Além da dificuldade em pedir ajuda, percebo em nossa nova geração de homens o desejo de ser um homem desconstruído, ou seja, não ser o típico "machão" de antigamente. Eu mesmo por muito tempo me esforcei em ser esse homem. Imaginei que dividir as tarefas de casa com a minha esposa, não fazer comentários machistas, respeitar as mulheres à minha volta, sonhar com a paternidade, tudo isso me fazia um homem melhor, quase perfeito. Mal sabia que isso era o mínimo que eu deveria ser e apenas um detalhe diante da real masculinidade bíblica. O problema do novo homem desconstruído é que ele só destrói, e não coloca nada no lugar. Por isso, percebi que a minha preocupação maior não deveria ser em desconstruir nada, mas em construir um alicerce.

Portanto, passei a olhar para o espelho e ver que as minhas atitudes eram mais parecidas com as de Adão: ausente, omisso e egoísta. Quanto mais eu enxergava a verdade sobre o homem que eu estava sendo, mais eu percebia a necessidade de me parecer com Jesus. Somente através do reflexo de Cristo eu poderia ser um homem presente, de atitude e servil que eu precisava ser. Que bom é podermos contar com um Deus que nos deixou Cristo como nosso maior exemplo de masculinidade. Que bom é ter a oportunidade de poder diariamente nos parecer mais com Cristo e ser uma boa semente dentro de nossas famílias.

SER MULHER IMPORTA!

Você já se questionou sobre o que significa ser mulher? Você já se sentiu inadequada para cumprir determinadas tarefas ou perdida diante de tantas afirmações sobre o que é ser feminina? Alguma vez você olhou para o seu casamento sem saber mais como se portar no seu papel como mulher? Eu já.

> Entender o que é o feminino hoje passa por diversas camadas de questionamentos e suposições.

Entender o que é o feminino hoje passa por diversas camadas de questionamentos e suposições. Entendendo a realidade do mundo em que vivemos, esse assunto poderia ser abordado neste capítulo de diversas formas. Poderia acontecer através de uma leitura do contexto cultural e histórico sobre o feminino, ou de uma exposição de dados sobre o polêmico tema do feminismo. Não descarto a importância desses assuntos, mas, como cristã, não poderia deixar de abordar primeiro a visão de Deus sobre o que é realmente ser mulher.

A compreensão da verdadeira feminilidade bíblica passa pela crença na Palavra. Por isso, caso você não seja cristã, talvez já se antecipe em não querer ler esta parte do livro — ou por discordar do que os cristãos dizem sobre o papel da mulher ou por já ter preconceito com a feminilidade bíblica. Realmente, alguns dos papéis designados à mulher dentro do casamento só fazem sentido quando se tem um relacionamento com Deus através do entendimento da Bíblia. Ainda assim, eu gostaria de te pedir uma chance de ter uma nova perspectiva sobre o que Deus diz sobre o que é ser mulher.

Sabemos que um dos temas mais polêmicos sobre o papel da mulher no casamento dentro da Bíblia é o conceito de "submissão". Falaremos sobre esse tema, porém vale lembrar que ele não é o único dentro dos muitos atributos que Deus designou para nós como mulheres. Dentro da Bíblia, podemos encontrar diversas mulheres vivendo o propósito de Deus, exercendo diferentes funções — boas ou ruins —, e cada uma com sua individualidade: mães, esposas, juízas, prostitutas e rainhas. Em suas diferentes realidades, encontramos mulheres que tiveram um encontro verdadeiro com Deus e puderam desfrutar da plenitude de ser mulher.

Como a escritora Kathleen Nielson diz em seu livro *O que Deus diz sobre as mulheres*:

> Quando exclamamos "É menino!" ou "É menina!", não estamos impondo distinções sexistas, arbitrárias ou autoritárias sobre uma vida humana; estamos recebendo e celebrando a verdade de que foi assim que Deus nos fez,

> à sua imagem, homem e mulher. Hoje em dia, soa radical afirmar o ensino da Bíblia de que os gêneros masculino ou feminino foram uma boa ideia de Deus, instituída como parte de sua ordenação soberana da criação, a fim de mostrar sua própria imagem nas pessoas que criou. Mas a verdade da Bíblia nos alcança, no fim, não como uma corrente para nos prender, mas como uma luz que aponta o caminho quando estamos no escuro, tateando, buscando encontrar nosso caminho.[7]

Ao questionarmos o que é a verdadeira feminilidade, podemos correr o risco de fugir da nossa real essência feminina. Sendo assim, compreender à luz da Palavra qual é o propósito do nosso Criador ao nos fazer mulher é poder viver a vida para a qual fomos feitas. Nascer mulher importa. A escolha biológica do Senhor para nós faz parte daquilo que ele tem para cada uma de nós nesta terra.

A vinda de Jesus também redimiu a nossa história como mulheres. Em um mundo caído onde as mulheres não tinham direitos, nem valor, Jesus amou as mulheres com um amor original. Quão revolucionário para aquela época foi ter duas mulheres como testemunhas da ressurreição de Cristo. Culturalmente falando, seria muito mais fácil Deus ter escrito essa história de forma diferente. Homens o encontrariam ressurreto, e não haveria dúvidas do que eles viram. Mas Jesus traz a redenção por

Compreender à luz da Palavra qual é o propósito do nosso Criador ao nos fazer mulher é poder viver a vida para a qual fomos feitas.

[7]NIELSON, Kathleen. *O que Deus diz sobre as mulheres*: feminilidade X feminismo. São José dos Campos: Fiel, 2018. p. 35-36.

completo. A mulher, que antes carregava o peso histórico de ser representada pelo pecado de Eva, agora é colocada em lugar de honra. Elas são portadoras da notícia mais importante da nossa história: Jesus está vivo! Deus, através da vida de Jesus, nos colocou de volta em uma posição da qual o pecado tentou nos tirar; um lugar de verdade, pureza, honra e respeito.

Não podemos negar a importância dos movimentos que garantiram direitos que hoje nós temos como mulheres. Mas não podemos deixar que eles nos façam esquecer da maior revolução que já foi feita por nós: a redenção de Cristo. Ele nos redimiu primeiramente como seres humanos, mas, como a nossa identidade importa, ele também nos redimiu como mulheres. Isso tem grande valor! Entender o que Cristo fez por nós foi o que mais me trouxe interesse em saber o que significa ser mulher biblicamente.

Além disso, enquanto solteira, desenvolver minha feminilidade não era difícil, inclusive era muito confortável. Todavia, quando me casei, alguns conceitos bíblicos se tornaram confusos e passei a questionar muitos deles. Eu sabia que, ao viver um casamento cristão, isso nos exigiria um comportamento diferente como homem e mulher. Mas viver isso na prática nos primeiros anos de casados foi um desafio para nós. Então decidimos, individualmente, começar a buscar na Bíblia, em estudos e livros aquilo que o Senhor esperava de nós em termos de papéis que deveríamos desenvolver dentro do nosso casamento.

A importância dos papéis

Um dia, conversando com o Rafa sobre o papel do homem e da mulher no casamento, ele fez uma analogia muito interessante. Ele disse que os nossos papéis são como engrenagens de um relógio que funcionam juntas, mas cada uma tem uma direção diferente; ambas são importantes e uma não funciona sem a outra. Da mesma forma, a direção que Deus me dá como mulher é diferente da que ele dá ao Rafa como homem, mas ainda assim trabalhamos juntos em um mesmo propósito: fazer o casamento funcionar. Quando passamos a entender os nossos diferentes papéis como peças importantíssimas dentro de um casamento saudável e duradouro, tudo aquilo que o Senhor espera de nós faz mais sentido.

Quando passamos a entender os nossos diferentes papéis como peças importantíssimas dentro de um casamento saudável e duradouro, tudo aquilo que o Senhor espera de nós faz mais sentido.

Lembro que, em nossos primeiros anos de casados, a ideia de o homem ser o cabeça do lar não fazia nenhum sentido na minha cabeça. Desde pequena, sempre tive um espírito de liderança muito forte e era muito natural para mim assumir a tomada de todas as decisões da nossa casa. Em contrapartida, o Rafa, como uma pessoa mais introvertida, sempre foi mais passivo e flexível diante das situações. Era a junção perfeita de uma "mandona" e um "mandado". Se essas características nos eram naturais e essa dinâmica era confortável para nós, por que a Bíblia nos dizia para agir diferente? Que caminho estreito!

Junto a esses questionamentos, o mundo gritava que eu me submeter ao meu marido seria um absurdo. Ou seja, eu poderia ser quem eu quisesse, poderia agir da maneira que eu bem entendia e isso seria a verdadeira liberdade feminina. Todo o apelo midiático da mulher livre me fez assumir um papel que nem eu mesma consegui sustentar por muito tempo.

Ao querer ser forte em tudo, não me permitia ser cuidada pelo meu marido, além de me sentir sobrecarregada ao ser a responsável por tomar todas as decisões da nossa casa. Eu afastava o Rafa e o colocava cada vez mais como figurante em um espaço onde nós dois deveríamos ser protagonistas. O que parecia ser liberdade tinha se tornado um grande fardo.

Isso ficou claro quando engravidei dos gêmeos. Passei por uma sequência de possibilidades de perdas e tive que ficar de repouso por um longo período. Nesse tempo, conheci um Rafa que ainda não havia me permitido conhecer. Em uma emergência, ele me carregou no colo para me levar ao hospital, assumiu a frente das situações, me levou comida na cama e foi um ombro forte quando eu mais precisei. Me vi em uma situação na qual fui obrigada a ser cuidada.

Em uma dessas situações em que ele assumia o controle, falei o quão gostoso estava sendo para mim desfrutar daqueles privilégios, e ele me respondeu: “Eu sempre quis fazer tudo isso, mas você nunca me permitiu cuidar de você”. Que confrontador foi ouvir essa verdade! A minha fragilidade durante aqueles nove meses de gestação foi um divisor de águas em nosso relacionamento. É claro que o meu erro de sempre tomar a frente nos outros anos não anula o erro do Rafa, como homem, de ser omisso em alguns momentos. Nós dois estávamos errados e precisávamos de correção. E essa correção veio diretamente da Palavra de Deus.

Quando falamos de papéis diferentes que devem ser exercidos por homens e mulheres dentro do casamento, é muito comum que as dificuldades de cada um sejam generalizadas com base em Adão e Eva, como se o único erro do homem fosse a omissão e, o da mulher, a manipulação. Porém, essa história retratada em Gênesis não revela pecados de gêneros, e sim o pecado da humanidade como um todo. Cada um de nós encontrará diferentes dificuldades em exercer o nosso papel no matrimônio.

Cada um de nós encontrará diferentes dificuldades em exercer o nosso papel no matrimônio.

É válido lembrar que boa parte dos valores bíblicos é contracultural, por isso nos custa tanto agir diferente. Abrir os nossos olhos e ouvidos espirituais para o entendimento daquilo que Deus tem para o casamento nos exige muitas vezes silenciar as vozes externas. Quando parei de basear o meu comportamento naquilo que eu tanto ouvia, naquilo que me parecia confortável, e comecei a buscar em Deus aquilo que ele tem para as mulheres, tudo se acalmou em meu coração. Compreendi que o Senhor me moldaria enquanto tentava cumprir meu papel como mulher dentro do casamento.

Mudar a perspectiva sobre o propósito dos valores bíblicos nos ajuda a sair de uma obediência cega para uma obediência consciente. Assim como Deus pede pureza no relacionamento para a nossa própria proteção, os papéis designados para homens e mulheres dentro do casamento são para nosso bem. Quando anulamos o fato de que é importante cada um desenvolver funções diferentes, ignoramos a proteção divina em nosso matrimônio.

Mudar a perspectiva sobre o propósito dos valores bíblicos nos ajuda a sair de uma obediência cega para uma obediência consciente.

Frequentemente me coloquei nessa zona de perigo ao assumir certos papéis que não eram meus. É muito comum acontecer isso com nós, mulheres. Desde pequenas somos incentivadas a desenvolver várias habilidades diferentes, o que é positivo; porém, no casamento, devemos assumir *um lugar que é justamente o de não assumir todos os lugares*. Quantas vezes, ao querer ser a que daria conta de tudo, afastei o Rafa de papéis que eram dele como homem. Enquanto eu cuidava da casa, das finanças, tomava todas as decisões, não demonstrava fraqueza e vivia completamente suficiente sem sua participação, ele se tornava cada vez mais dependente de mim e de todas as funções que eu exercia. É o típico comportamento materno que muitas mulheres têm com os seus maridos. Reclamamos que nossos maridos agem como filhos, mas também não abandonamos o papel de suas mães. Deus nunca nos pediu isso!

Ao analisarmos um dos trechos da Bíblia nos quais são descritos os papéis atribuídos por Deus a cada sexo dentro do casamento (Efésios 5:21-33), são utilizados nove versículos para falar do papel do homem e três para descrever o da mulher. Biblicamente falando, temos uma falsa impressão de que se pede demais da mulher, mas, se olharmos bem, pede-se mais do homem. O pedido de Deus para o homem, de amar a sua esposa como Cristo amou a igreja, o coloca em uma posição de responsabilidade gigantesca. É um comando de sacrifício integral. O homem deve se entregar pela sua esposa e se doar por ela.

Quando nós, como mulheres, assumimos papéis que não são nossos, não permitimos que esse sacrifício verdadeiramente aconteça. Nesse sentido, eu tinha uma mania enorme de ter pena do Rafa em quase tudo. Não o permitia fazer muitas coisas, para poupá-lo ao máximo. Isso incluía não permitir que ele cuidasse de mim assim como eu cuidava dele. Essa ordem estava errada.

Ao nos colocarmos como as que aguentam tudo, tiramos do nosso marido a sua responsabilidade de se doar por completo e pensar primeiro em seu lar. Apenas reforçamos o que a sociedade prega: o homem é o centro de tudo e o mais importante são as suas prioridades. O chamado de Deus para o homem é o de servir e de se sacrificar.

O chamado de Deus para o homem é o de servir e de se sacrificar.

Um dos versículos mais mal-interpretados sobre o papel do marido e da esposa está em 1Pedro 3:7: "Do mesmo modo vocês, maridos, sejam sábios no convívio com suas mulheres e tratem-nas com honra, como parte mais frágil e coerdeiras do dom da graça da vida, de forma que não sejam interrompidas as suas orações". Tratar a esposa com honra e como parte mais frágil pode ser visto por alguns como se o sinônimo de fragilidade fosse fraqueza. Porém, se analisarmos que antes é pedido ao marido que a trate com honra, podemos entender o significado de "parte mais frágil" como "parte mais valiosa".

A proteção do marido para com a sua mulher não é sinônimo de fraqueza feminina, e sim um chamado de Deus para que o homem tenha responsabilidades.

Todos nós sabemos que o próprio Deus deu força à mulher — força para trabalhar, para gerar e parir uma criança, para enfrentar os desafios da vida. Mas essa força não exime o seu valor. Nesse sentido, Deus pede que o homem honre-a, cuide dela e a proteja. A proteção do marido para com a sua mulher não é sinônimo de fraqueza feminina, e sim um chamado de Deus para que o homem tenha responsabilidades.

Na guerra dos sexos, alguns casais entram num ciclo de competição de papéis e numa batalha de quem vale mais. Isso não faz sentido ao sabermos que fomos criados por Deus com o mesmo valor, ainda que com papéis diferentes. Nesse quesito, o conceito de "formar um time" se aplica aqui. Um time não compete entre si, mas se complementa em suas diferentes habilidades.

A feminilidade no casamento

Dada a devida importância aos diferentes papéis do marido e da mulher, poderemos seguir o entendimento do que a Bíblia nos diz sobre eles. Anteriormente, o Rafa abordou a importância do papel do homem, e agora vamos refletir sobre os atributos designados à mulher. Dentre as várias características que poderiam ser abordadas, falaremos de três que representam bem a engrenagem feminina que faz o casamento funcionar: auxiliadora, trabalhadora, sábia e temente a Deus.

Auxiliadora

> Então o Senhor Deus declarou: "Não é bom que o homem esteja só; farei para ele alguém que o auxilie e lhe corresponda". (Gênesis 2:18)

Quando voltamos ao início de tudo, antes mesmo de o pecado existir, podemos enxergar o propósito de Deus sem manchas. Deus criou os céus, a terra, os animais, o homem, e viu que, por mais que tudo isso existisse, ainda estava incompleto. É quando ele cria a mulher. No auge da criação e diante de toda a beleza que já existia, Deus dá o seu toque final, criando a mulher.

No plano original de Deus para a mulher, está o fato de que ela deve ser uma auxiliadora enquanto esposa. Nós bem sabemos que esse papel bíblico designado a mulher é polêmico e malvisto em nossos dias, porque muitos o interpretam como um papel secundário ou inferior. Como diz Kathleen Nielson:

> O termo "ajudante" (em hebraico, *ezer*) denota força — com frequência, a força que vence as batalhas. De fato, em todo o Antigo Testamento, essa palavra é usada para descrever Deus, na medida em que ele ajuda seu povo. A ajudadora é o modo como Deus torna o "não é bom" em "muito bom". A ajudadora é o ponto mais alto, o ápice da finalização por Deus na história da criação. Esse papel de auxiliadora que a mulher tem é um chamado elevado: algo por meio do qual ela reflete a imagem de Deus, seu Criador — e por meio do qual ela serve a Deus ao andar conforme sua Palavra.[8]

É importante tirarmos de nossa cabeça o conceito de "auxílio" como algo inferior e o trazermos para um lugar de honra. Quando entendemos o valor de ter alguém que cumpra o papel de auxílio dentro do casamento, ele deixa de ser algo assustador e passa a ser um privilégio. Deus é o meu maior auxílio e ele é a parte mais importante da minha vida. Sendo assim, eu passei a desfrutar do fato de poder ser para o Rafa alguém que lhe dá uma diferente perspectiva sobre

---

[8] NIELSON, Kathleen. *O que Deus diz sobre as mulheres*: feminilidade X feminismo. São José dos Campos: Fiel, 2018.

as situações e com quem ele e meus filhos podem contar dentro do nosso lar.

Ao lado do conceito de "auxílio", entra também o de "submissão". É válido lembrar, neste ponto, que o pedido bíblico é para a mulher se submeter ao seu esposo, e não a todos os homens. Deus não nos pede para sermos submissas aos nossos amigos homens, aos maridos de outras mulheres ou a qualquer outro homem. Esse pedido é exclusivo para com o próprio marido.

Deus não nos pede para sermos submissas aos nossos amigos homens, aos maridos de outras mulheres ou a qualquer outro homem. Esse pedido é exclusivo para com o próprio marido.

Em muitos momentos, no início do meu casamento com o Rafa, me pareceu injusto o pedido de Deus para que eu como mulher me submetesse ao meu marido. Quando comecei a estudar mais a fundo o que realmente Deus estava me pedindo ao ter que cumprir esse papel, mudei minha perspectiva sobre o assunto e abracei a submissão como um presente.

> No Senhor, todavia, a mulher não é independente do homem, nem o homem independente da mulher. Pois, assim como a mulher proveio do homem, também o homem nasce da mulher. Mas tudo provém de Deus. (1Coríntios 11:11)

Assim como esse versículo, existem diversos outros na Bíblia nos mostrando que há uma igualdade de responsabilidades dentro do casamento para homens e mulheres, por mais que elas sejam diferentes. O apóstolo Paulo descreve mais sobre o papel do marido e da mulher em um de seus textos em Efésios. Vamos analisá-lo para entender aquilo que o Senhor nos pede e o que é a verdadeira submissão.

> Sujeitem-se uns aos outros, por temor a Cristo. Mulheres, sujeitem-se a seus maridos, como ao Senhor, pois o marido é o cabeça da mulher, como também Cristo é o cabeça da igreja, que é o seu corpo, do qual ele é o Salvador. Assim como a igreja está sujeita a Cristo, também as mulheres estejam em tudo sujeitas a seus maridos. Maridos, amem suas mulheres, assim como Cristo amou a igreja e entregou-se a si mesmo por ela para santificá-la, tendo-a purificado pelo lavar da água mediante a palavra, e apresentá-la a si mesmo como igreja gloriosa, sem mancha nem ruga ou coisa semelhante, mas santa e inculpável. Da mesma forma, os maridos devem amar as suas mulheres como a seus próprios corpos. Quem ama sua mulher, ama a si mesmo. Além do mais, ninguém jamais odiou o seu próprio corpo, antes o alimenta e dele cuida, como também Cristo faz com a igreja, pois somos membros do seu corpo. "Por essa razão, o homem deixará pai e mãe e se unirá à sua mulher, e os dois se tornarão uma só carne". Este é um mistério profundo; refiro-me, porém, a Cristo e à igreja. Portanto, cada um de vocês também ame a sua mulher como a si mesmo, e a mulher trate o marido com todo o respeito. (Efésios 5:21-33)

O texto começa com uma ordem para ambos os sexos: todos devem sujeitar-se uns aos outros (5:21). O mandamento de sujeição é mútuo, porém cada um o fará de uma forma. A mulher se sujeitará se submetendo; o homem, se sacrificando. Dessa forma, podemos entender que o conceito bíblico de "submissão" e "liderança" não é um conceito de superioridade e inferioridade, mas de complementaridade.

> O conceito bíblico de "submissão" e "liderança" não é um conceito de superioridade e inferioridade, mas de complementaridade.

A submissão bíblica só faz sentido porque ela é voluntária, assim como todas as coisas que o Senhor pede de nós. Ele não nos obriga, nem exige. Um bom marido que exerça de forma sábia a autoridade do lar não exige a submissão da esposa. Esse funcionamento acontece de forma natural, pois os dois desenvolvem o seu papel com louvor. Da mesma forma, o versículo 22 afirma que a submissão bíblica só faz sentido quando a mulher crê no Senhor. Acredito que seja por isso que a ideia de "submissão" não faça sentido para diversas mulheres.

Porém, ao nos relacionarmos com Deus, entendemos seu amor, cuidado e proteção por nós; a partir daí, compreenderemos o tipo de autoridade que ele pede ao nosso marido. É um lugar seguro: ao nos submetermos primeiro a Cristo, não permitiremos qualquer tipo de abuso, pois, primeiramente, servimos a Deus, e a violência jamais será a sua vontade para nós.[9] Nesse lugar, não nos submetemos de maneira cega e burra, pois nos entregamos a quem se entrega por nós. É por causa do amor e serviço ao Senhor que somos capazes de nos submeter. Caso contrário, seria impossível.

Recapitulando, enquanto Deus nos pede a submissão, ele pede ao marido a enorme responsabilidade de amar e se entregar pela esposa como Cristo se entregou pela

---

[9] Caso você esteja sofrendo qualquer forma de violência doméstica, largue imediatamente este livro e denuncie, ligando para o número 180.

Igreja (5:25-29). Ao fazer isso, o Senhor nos protege como mulheres, pois a autoridade do homem sobre a mulher somente é permitida quando é uma autoridade igual à de Cristo sobre a Igreja. Ou seja, não é uma autoridade opressora, violenta e abusiva. A autoridade de Cristo é de entrega, sacrifício e amor. Veja bem a diferença! Deus criou a submissão da esposa em um contexto de amor sacrificial do marido. O homem que exerce a autoridade bíblica busca amar a esposa como Cristo a ama, e não existe maior amor que esse.

> O homem que exerce a autoridade bíblica busca amar a esposa como Cristo a ama, e não existe maior amor que esse.

Trazendo para o contexto histórico, algumas pessoas afirmam que os papéis do homem e da mulher foram escritos por Paulo de acordo com o contexto cultural da época. Porém, nesse mesmo texto, Paulo traz uma passagem descrita em Gênesis: "*Por essa razão, o homem deixará pai e mãe e se unirá à sua mulher, e os dois se tornarão uma só carne*" (5:31; cf. Gênesis 2:24). Quando Paulo cita Gênesis, ele volta ao plano original de Deus para o casamento, ou seja, o seu argumento não é baseado em um contexto cultural, e sim na Bíblia.

Outro ponto interessante no contexto histórico é que o texto escrito por Paulo, por mais retrógrado que possa parecer nos tempos de hoje, foi revolucionário para aquela época. Os homens faziam o que queriam de suas mulheres e eram isentos de responsabilidades. Quando Paulo os ordena a amá-las como Cristo amou a Igreja, ele traz as mulheres para um lugar de honra e os homens para um lugar de compromisso sacrificial.

Diante de todos esses argumentos, por que a submissão passou a ser algo que assusta tanto as mulheres? Porque por muito tempo a submissão foi entendida como um castigo. A submissão que é um castigo não é bíblica.

Esse tema parou de me assustar e deixou de ser uma dúvida, quando, lendo a Bíblia, passei a aplicá-lo da maneira correta. O que parecia ser uma prisão me libertou! Me livrei de um fardo que carregava há um tempo: o de estar sempre sobrecarregada. Eu já não precisava mais carregar aquela imagem de mulher independente do Rafa, que sabia fazer tudo e tomava absolutamente todas as decisões. Pude descansar ao saber que tinha um marido que, se eu permitisse, assumiria o seu papel. Nesse lugar, me senti mais cuidada, amada e protegida. Nesse lugar, pude ver de perto o Rafa amadurecer e crescer diante de suas responsabilidades. Isso trazia ordem e estabilidade para o nosso lar. É muito mais fácil nos submeter a quem verdadeiramente nos ama.

Lancei os meus medos ao Senhor ao me colocar em uma posição de maior vulnerabilidade dentro do meu casamento e desfrutei de um relacionamento mais saudável. Entender o auxílio e a submissão ao meu marido pedidos pelo Senhor trouxe descanso à minha alma e saúde ao meu casamento. Que presente é poder confiar no plano original de Deus!

> No amor não há medo; pelo contrário o perfeito amor expulsa o medo, porque o medo supõe castigo. Aquele que tem medo não está aperfeiçoado no amor. (1João 4:18)

Trabalhadora

Eu passei por uma crise profissional gigantesca por cinco anos. Sou formada em Arquitetura e Urbanismo e, quando me casei com o Rafa, decidi que queria desfrutar por um tempo da vida de poder ficar em casa e não trabalhar fora. Durante esse tempo, desenvolvi alguns pequenos empreendimentos, mas nada com que eu me realizasse profissionalmente.

Lembro que, em um dos momentos de frustração profissional, falei para a minha psicóloga que talvez eu não me encontraria profissionalmente fora de casa e que deveria começar o processo de aceitação disso. A resposta dela foi imediata: "Fernanda, te acompanhando nesses últimos anos, eu não acredito que isso acontecerá!".

É cultural a visão inferior que temos sobre o trabalho doméstico. Sabemos que a escolha por ficar em casa e cuidar dos afazeres domésticos é considerada insuficiente para uma mulher de sucesso. A esposa que decide não trabalhar fora e assumir toda a logística de um lar e da criação de filhos é julgada inclusive por outras mulheres. Eu mesma passei por esse tipo de julgamento. "Que desperdício você ser arquiteta e optar por ficar em casa!"; "Você não pensa em arranjar um emprego de verdade?" Essas foram algumas das frases desaforadas que recebi naqueles anos de crise profissional.

Ao viver por cinco anos trabalhando como dona de casa, aprendi a valorizar ainda mais as mulheres que optaram por isso. O trabalho no lar é tão digno como um trabalho fora dele. Quando invertemos esses valores, a casa se torna um peso e, a nossa vida, miserável e sem sentido. Aprendi com o tempo a reconhecer o meu valor como mulher, mesmo não tendo o sucesso profissional esperado pelos de fora. Entendi aqueles cinco anos de dedicação exclusiva à nossa casa como um tempo de aprender a servir sem receber nada em troca. O lugar de serviço não é um lugar inferior, mas um lugar de grande valor (Mateus 23:11).

O trabalho no lar é tão digno como um trabalho fora dele.

Hoje eu posso ver o quanto a compreensão do valor do trabalho de casa foi importante para quando, posteriormente, cheguei a uma fase de sucesso profissional. Quando me tornei escritora, eu já tinha os gêmeos. No primeiro ano de vida deles, várias oportunidades de trabalho apareceram. Portas que estiveram sempre fechadas começaram a se escancarar. Parece que o Senhor sabia o quanto precisaríamos de provisão financeira ao ter um bebê atrás do outro. Nesse mesmo ano, engravidei novamente. Enquanto havia uma demanda muito grande de reuniões, horas de escrita, estratégias de marketing e tudo que envolve o lançamento de um livro, eu tinha três bebês que precisavam muito de mim. Foi bem desafiador conciliar tudo.

Lembro que cheguei a um momento de estar tão mergulhada no meu trabalho e no quanto eu deveria ser produtiva, que passei a ver a maternidade e o cuidado com a minha família como um empecilho. Foi quando me veio um sinal de alerta me dizendo que os meus valores estavam invertidos. O meu trabalho era importante, sim; inclusive era um presente do Senhor eu por fim ter me encontrado profissionalmente, mas eu não poderia deixar de enxergar a importância de ser a mãe e a esposa que a minha família precisava. Nesse lugar eu era insubstituível.

Sabemos que a mulher moderna enfrenta inúmeros desafios ao se inserir no mercado de trabalho. Antes vista como útil somente em seus afazeres domésticos, atualmente ganha espaço e tem a oportunidade de obter sucesso profissional em seu emprego fora, além de trazer provisão financeira para a sua casa. Diante desse cenário, o que Deus espera de nós como mulheres em nossos diversos trabalhos?

> Uma esposa exemplar; feliz quem a encontrar! É muito mais valiosa que os rubis. Seu marido tem plena confiança nela e nunca lhe falta coisa alguma. Ela só lhe faz o bem, e nunca o mal, todos os dias da sua vida. Escolhe a lã e o linho e com prazer trabalha com as mãos. Como os navios mercantes, ela traz de longe as suas provisões. Antes de clarear o dia ela se levanta, prepara comida para todos os de casa, e dá tarefas as suas servas. Ela avalia um campo e o compra; com o que ganha planta uma vinha. Entrega-se com vontade ao seu trabalho; seus braços são fortes e vigorosos. Administra bem o seu comércio lucrativo, e a sua lâmpada fica acesa durante a noite. Nas mãos segura o fuso e com os dedos pega a roca. Acolhe os necessitados e estende as mãos aos pobres. Não receia a neve por seus familiares, pois todos eles vestem agasalhos. Faz cobertas para a sua cama; veste-se de linho fino e de púrpura. Seu marido é respeitado na porta da cidade, onde toma assento entre as autoridades da sua terra. Ela faz vestes de linho e as vende, e fornece cintos aos comerciantes. Reveste-se de força e dignidade; sorri diante do futuro. Fala com sabedoria e ensina com amor. Cuida dos negócios de sua casa e não dá lugar à preguiça. Seus filhos se levantam e a elogiam; seu marido também a elogia, dizendo: "Muitas mulheres são exemplares, mas você a todas supera". A beleza é enganosa, e a formosura é passageira; mas a mulher que teme ao Senhor será elogiada. (Provérbios 31:10-30)

Gostaria de destacar algumas palavras descritas nesse texto ao falar sobre essa mulher diante de todos os seus desafios. Em seu trabalho fora de casa, ela se entrega com vontade, com braços fortes e vigorosos, além de administrá-lo bem (31:17-18). Em seu trabalho dentro de casa, ela é revestida de força e dignidade, é positiva diante do futuro, fala com sabedoria, ensina com amor e não dá lugar à preguiça (31:25-27). Tudo isso a coloca em um lugar de honra onde as pessoas mais importantes da sua vida — seu marido e seus filhos — a reconhecem, enaltecendo o seu valor (31:29).

Quando leio esse texto, a primeira coisa que me vem à cabeça é que a mulher descrita em Provérbios é perfeita e que eu nunca alcançarei essa perfeição. Ela é multitarefas. Administra bem o seu trabalho, é forte, honra a seu marido, cuida de seus filhos e aparentemente não tem preguiça de nada disso. Porém, esse texto finaliza dizendo que a maior honra dessa mulher não é a sua capacidade em administrar tudo maravilhosamente bem, mas o seu temor ao Senhor (31:30). Com certeza ela tem as suas fraquezas, os seus dias de cansaço e frustrações, como qualquer uma de nós. Mas ela diariamente escolhe o caminho que muitas vezes nós abandonamos: o de buscar ao Senhor.

Sábia e temente a Deus

Podemos ter uma casa impecável, filhos bem-educados e ainda assim fazer tudo no automático, carregando as tarefas como um fardo. Podemos ter o maior reconhecimento profissional e ainda assim viver com um coração ingrato por termos que trabalhar fora. No final das contas, o sucesso em ser mulher vai muito além daquilo que fazemos ou deixamos de fazer. O valor do nosso trabalho não está naquilo que fazemos, mas em como fazemos e em quem buscamos força para fazê-lo.

Quantas vezes, diante de fraldas sujas, prazos de entrega de livro atrasados, a única coisa que me restou foi me render diante de Deus e pedir força e sabedoria. Quantas vezes me peguei ingrata em frente ao fogão fazendo comida para os meus filhos, enquanto o Senhor me confrontava ao mostrar o privilégio que era eu poder ter braços fortes e condições de ter comida na geladeira para alimentá-los. O problema não estava na minha crise profissional, nem depois na maternidade e nas exigências de um sucesso profissional; o problema estava em meu coração. Foi quando decidi todos os dias orar pedindo a Deus novas perspectivas diante dos meus desafios em ser mulher. A Bíblia diz:

> O valor do nosso trabalho não está naquilo que fazemos, mas em como fazemos e em quem buscamos força para fazê-lo.

> A mulher sábia edifica a sua casa, mas com as próprias mãos a insensata derruba a sua. (Provérbios 14:1)

Muitas vezes, como mulheres, achamos que os nossos problemas estão nas circunstâncias em que vivemos, por isso não encontramos paz em nosso lar. Mas esse versículo mostra que o segredo da mulher que edifica a sua casa é a sabedoria. Focamos ser "supermulheres", dando conta de tudo e sendo bem-sucedidas naquilo que fazemos, quando o que realmente precisamos é ter a sabedoria para lidar com todas as situações.

Quando eu conheci o Rafa, amava ir à casa dele. Ali havia paz e estabilidade sobrenaturais; todos gostavam de estar ali. Percebi que quem gerava esse ambiente era a minha sogra. Eu admirava o fato de que, a cada visita, eu a encontrava serena, tranquila; parecia que nada tirava a sua paz. Ela tratava o meu sogro com respeito, era firme e amorosa com seus filhos, tinha braços fortes para trabalhar e um sorriso no rosto para servir. Quando abria a sua boca, nunca era para maldizer; sempre tinha uma palavra de sabedoria para todos. Como não querer morar naquele lar?

Nesses dez anos de convivência com a minha sogra, pude claramente comprovar o que a Bíblia diz sobre uma casa bem-edificada. Ser alguém que edifica a casa é ser alguém que faz parte da construção de algo sólido e seguro. Esse lar de paz e segurança que ela havia construído era fruto de sua sabedoria adquirida em Deus.

> Ser alguém que edifica a casa é ser alguém que faz parte da construção de algo sólido e seguro.

A Bíblia afirma que "o temor do Senhor é o princípio da sabedoria" (Provérbios 9:10). De fato, o que eu mais enxergava em minha sogra era alguém temente a Deus. Todas as suas virtudes como mulher ao lidar com os desafios da vida diária vinham de uma busca incansável pelo Senhor.

> A mulher que teme ao Senhor é segura o suficiente para depositar todas as suas expectativas e esperanças em Deus, não em seu marido.

Em uma escala de prioridades, quando colocamos Deus em primeiro lugar, as outras tomam o seu devido lugar. Vejo muitas mulheres colocando seus maridos em uma posição de salvador de suas vidas e refúgio de todas as suas emoções. Eu mesma já caí nesse engano de colocar o Rafa em um pedestal que não lhe pertencia. A consequência disso eram cobranças injustas e um desgaste emocional para ambos os lados. A mulher que teme ao Senhor é segura o suficiente para depositar todas as suas expectativas e esperanças em Deus, não em seu marido.

Ao colocarmos o nosso marido em uma posição que não lhe pertence, inconscientemente passamos a exigir uma perfeição nele que não existe. Queremos moldá-lo com nossas próprias mãos, e não confiamos naquilo que somente Deus é capaz de fazer em sua vida.

Exigir mudanças em meu marido era algo que eu fazia diariamente, pois o meu foco estava completamente nele. Um dia, conversando com uma conselheira, ela me perguntou: "Fernanda, você tem orado pelo Rafa?", e a minha resposta foi um vergonhoso silêncio. Eu passava muito mais tempo reclamando e exigindo do que colocando diante do Senhor a vida dele, além de ter mais facilidade em orar por outras pessoas do que por ele. É como se ele merecesse somente a minha correção. O fardo de ser a responsável por mudar o marido é pesado demais!

Precisamos reconhecer que existem coisas que somente o Senhor é capaz de fazer em nós. Ao me colocar em uma posição de oração pelo Rafa, eu deixava de ser sua inimiga e me tornava a sua parceira de oração. Eu me desarmava para ouvir as suas dificuldades e, do outro lado, ele sabia que poderia contar com as minhas orações.

Um benefício que aconteceu em nosso casamento ao orarmos um pelo outro foi que passamos a ter mais facilidade em confessar juntos os nossos pecados a Deus. Isso levava o nosso coração ao arrependimento e, consequentemente, a uma transformação. Algumas mudanças que eu gostaria muito que acontecessem no Rafa milagrosamente começaram a aparecer depois que passei a orar por ele. A oração tem poder!

> Portanto, confessem os seus pecados uns aos outros e orem uns pelos outros para serem curados. A oração de um justo é poderosa e eficaz. (Tiago 5:16)

Nesse processo, eu também aprendia a olhar mais para dentro de mim, para aquilo que o Senhor gostaria de fazer em mim, e não somente para meu marido. Esse ciclo de busca, oração e relacionamento com o Senhor foi me trazendo o caminho da sabedoria. Eu me tornava diariamente um pouco mais da esposa que ele esperava: auxiliadora, trabalhadora e temente a Deus. Isso não me fazia uma mulher perfeita, mas alguém completamente dependente do Senhor.

Ao olharmos para trás, para nossas mães e avós, talvez encontremos mulheres que por muitos anos se sentiram sobrecarregadas ao viverem uma submissão cega por falta de entendimento do seu verdadeiro papel. Porém, essas mesmas mulheres nos ensinam bastante sobre uma vida de serviço e dedicação.

Ao olharmos para o hoje, encontramos mulheres apavoradas diante dos conceitos bíblicos, querendo se tornar completamente independentes de seus maridos, escolhendo o caminho do afastamento. Podemos ver mulheres sobrecarregadas ao assumirem papéis que não são delas, achando que a longo prazo isso se sustentará. Sem entrega completa não há amor completo.

Sem entrega completa não há amor completo.

Ser mulher importa para Deus, por isso os papéis que ele nos pede para cumprir dentro do casamento funcionam a nosso favor. Trazem segurança, estabilidade e paz para nossos lares. Ao entender e cumprir aquilo que o Senhor nos diz sobre a verdadeira feminilidade dentro do casamento, representamos o mais belo relacionamento que já existiu: o de Cristo com a Igreja. Isso não é um peso. É uma dádiva!

Aperfeiçoando

Para homens

PERGUNTAS

1. Cite 5 características que você considera importantes em um homem.
2. Pensando nos três erros de Adão descritos neste capítulo (ausência, omissão e egoísmo), cite pelo menos uma atitude que você tem falhado em desenvolver em cada uma dessas três áreas. Depois, escreva ao lado delas alguns passos práticos que te ajudem a melhorar em suas falhas.
3. Escreva o nome de dez homens que fazem parte do seu círculo de convivência. Dentre esses dez, circule os nomes dos que você mais admira. Descreva como você poderia se aproximar mais desses homens escolhidos, de forma que vocês caminhem juntos em crescimento.

SUGESTÕES

Escreva uma carta direcionada a você mesmo, para ler daqui a 10 anos. Aproveite esse momento para pensar no homem que você quer ser, nos legados que quer deixar na vida dos seus filhos e das pessoas próximas a você. Depois que acabar, tire um momento para refletir a respeito do que você pode começar a fazer hoje para se tornar esse homem no futuro.

ORAÇÃO

"Deus, eu sei que o Senhor me criou como homem e com um propósito específico ao exercer a minha masculinidade. Peço que o Senhor possa quebrar qualquer traço de uma masculinidade que não venha de ti. Que a sua mão poderosa venha agora em minha vida, com misericórdia sobre as minhas atitudes de ausência, omissão e egoísmo, e que meu caráter como homem seja restaurado, para que eu possa ser como Jesus e amar minha esposa como ele nos ama. Em nome de Jesus, amém!"

Aperfeiçoando

Para mulheres

PERGUNTAS

1. Você já se sentiu perdida no seu papel como mulher? Se sim, descreva em que área isso aconteceu.
2. Dentre as três características abordadas sobre o papel da mulher neste capítulo, qual você sente mais dificuldade em aplicar e por quê?
3. Olhando para o seu casamento, você acredita que os papéis do homem e da mulher estão sendo bem-desenvolvidos? Se a resposta for "não", de que forma essa ordem poderia acontecer?

SUGESTÕES

Escreva em um papel motivos específicos pelos quais você poderia orar pelo seu cônjuge. Aproveite o momento para perguntar ao seu cônjuge pelo que ele gostaria que você orasse por ele. Faça um compromisso, por determinado tempo, de orar todos os dias por esses motivos.

ORAÇÃO

"Senhor, eu te agradeço por ter me feito mulher e pelos seus propósitos em minha vida. Reconheço as minhas dificuldades e lutas diárias, por isso te peço que o Senhor caminhe bem de perto comigo. Ajude-me, ó Pai, a olhar para as situações com os seus olhos, e a ouvir a tua voz em meio aos desafios de ser uma mulher segundo o teu coração. Eu te louvo pela minha família e peço que o Senhor me capacite para cumprir com amor e excelência o meu papel dentro dela. Em nome de Jesus, amém."

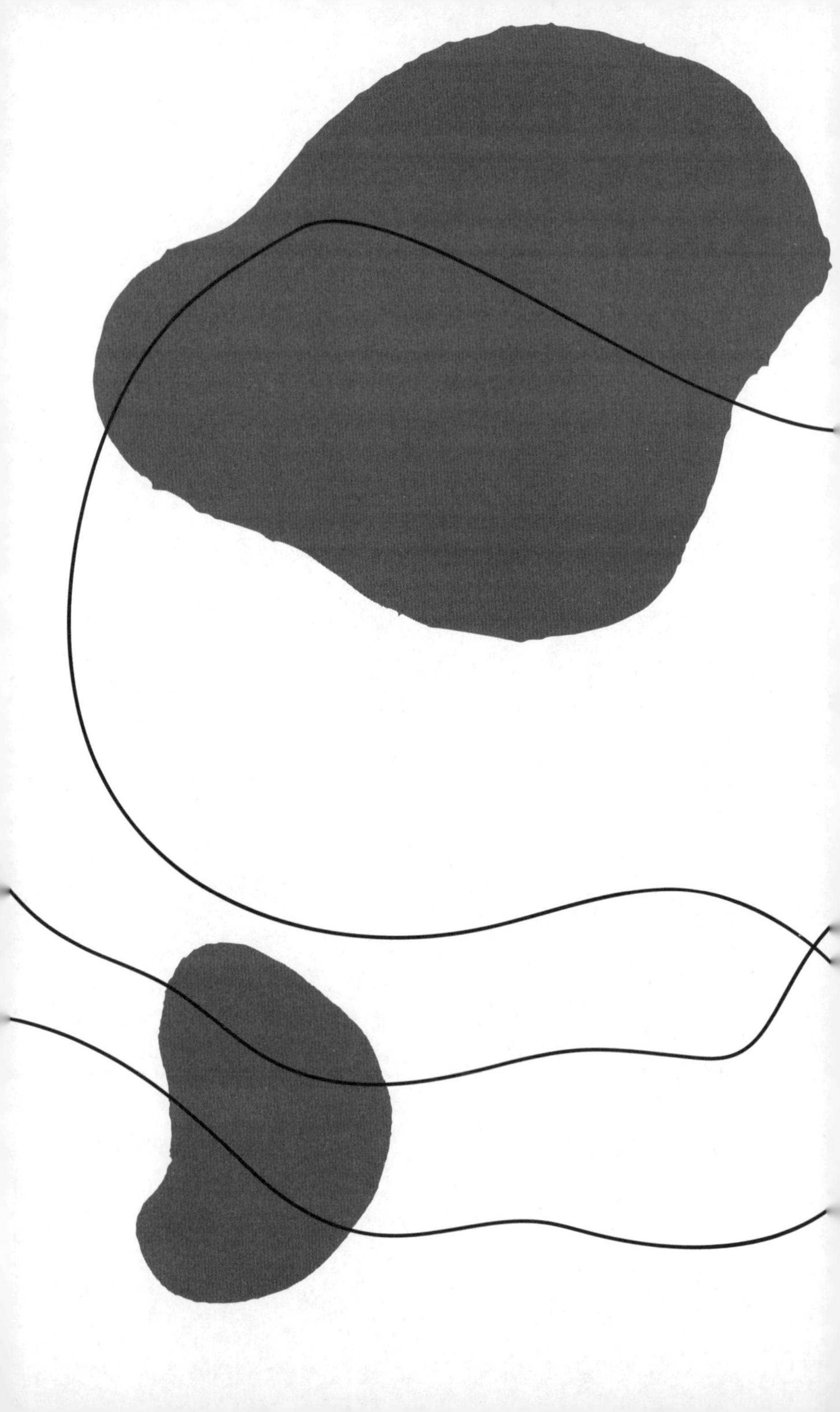

Capítulo 6

A CHEGADA DOS FILHOS

"Os filhos são herança do Senhor, uma recompensa que ele dá. Como flechas nas mãos do guerreiro são os filhos nascidos na juventude. Como é feliz o homem cuja aljava está cheia deles! Não será humilhado quando enfrentar seus inimigos no tribunal."

Salmos 127: 3-5

Não seria nenhuma novidade dizer que tínhamos um sonho imenso de ter filhos. Talvez seja novidade dizer que esse sonho nos daria passe direto ao mundo da criação de filhos sem dificuldades. Sempre que ouvia pais e mães se queixando do trabalho árduo de criar filhos, eu imaginava que isso poderia estar ligado ao fato de eles não terem desfrutado o suficiente do casamento ou terem filhos "antes da hora". Até chegar a minha vez. Sabe aquela típica frase que nossos pais sempre nos disseram: "Quando você for pai ou mãe, vai entender"? Ela é a mais pura verdade.

Ao descobrimos a gravidez, veio um sentimento enorme de plenitude. Parece que finalmente as coisas se encaixavam; tudo estava completo e começaríamos uma linda página em nossa história de sonhos realizados. Eu passava horas na internet vendo fotos perfeitas de bebês dormindo como anjos em roupinhas lindas. Imaginava o quartinho deles e como poderíamos deixar tudo o mais perfeito possível.

Apesar de a minha gravidez não ter sido a mais tranquila de todas, ainda assim nada tirava a minha ideia sobre a perfeição de uma vida com filhos em casa. Afinal, quando você vê fotos de pais com seus bebês, eles estão sempre arrumados e sorrindo. As propagandas de amamentação são sempre mulheres serenas trocando olhares profundos com seus bebês. "Que mundo mais angelical é o da maternidade", eu pensava. Todas essas ideias de vida perfeita foram interrompidas por um grande choque de realidade quando os gêmeos nasceram.

O dia do nascimento deles foi muito especial! O parto foi uma cirurgia tranquila; estávamos rodeados de profissionais que eram nossos amigos e podíamos sentir a presença de Deus naquele centro cirúrgico. Escutar o chorinho deles pela primeira vez foi o som mais especial que já havíamos ouvido. Assim que eles vieram para os nossos braços, oramos e declaramos palavras de bênçãos sobre eles. Que dia incrível foi aquele!

Após o parto, fomos para casa com os dois bebês e começamos a ter alguns primeiros choques de realidade. Eu fiquei muito limitada fisicamente por conta da cirurgia, tive muitas dores e a demanda com os bebês era grande. De dia e de noite sempre tínhamos nossas mães para nos dar apoio, motivo pelo qual somos muito gratos. As madrugadas eram longas, o sono era curto, a louça se enchia cada vez mais de mamadeiras e o lixo de fraldas era interminável. A nossa casa virou um ambiente totalmente desconhecido por nós.

Certo dia, eu e o Rafa nos deitamos na cama antes de uma curta soneca, e confessamos mutuamente o que estávamos sentindo. Estávamos com vergonha de admitir um para o outro o quão assustadores estavam sendo aqueles primeiros dias com dois bebês em casa. De certa forma, a gente não se sentia no direito de se assustar ou reclamar, porque havíamos sonhado em viver tudo aquilo. Reconhecer que cuidar de nossos filhos estava sendo um desafio para nós não foi fácil, mas, ao mesmo tempo, foi libertador. Naquela mesma noite, oramos juntos e colocamos diante de Deus as nossas dificuldades. Pedimos por força, sabedoria e paciência ao ter que lidar com situações desafiadoras pelos próximos anos.

Reconhecer que cuidar de nossos filhos estava sendo um desafio para nós não foi fácil, mas, ao mesmo tempo, foi libertador.

Para mim, aquela realidade era uma luta diária. Eu não queria que os desafios dos cuidados com dois bebês tirassem o brilho da criação de filhos. Contudo, ao mesmo tempo, o meu coração era tomado pelo medo do que a nossa vida se tornara. A nossa rotina, que antes era confortável, cheia de programações e muito dedicada aos nossos interesses pessoais, havia se enchido de responsabilidades em prol dos bebês.

Precisamos reconhecer que a criação de filhos é um grande desafio para a nossa geração. Somos tão motivados por uma vida cheia de realizações pessoais, conforto e sucesso profissional, que formar uma família chega a soar como loucura. Quantas vezes fomos taxados de loucos por querer muitos filhos? Na verdade, quantas vezes eu mesma parei e pensei: "Que loucura nós fizemos!".

Com o passar dos dias, eu entendi que o brilho da criação de filhos estava justamente no fato de que Deus queria fazer algo grandioso em nós, através das nossas limitações como pais. Percebi que os meus pensamentos românticos me fizeram enxergar nossos filhos como resultado de uma realização pessoal e, como consequência, senti esse nível de assombramento quando eles chegaram.

Com o passar dos dias, eu entendi que o brilho da criação de filhos estava justamente no fato de que Deus queria fazer algo grandioso em nós, através das nossas limitações como pais.

Nesse processo de amadurecimento e crescimento como pais, houve e ainda há muitos questionamentos. Quantas vezes nos perguntamos o que seria do nosso casamento, se daríamos conta, como faríamos para voltar a trabalhar, como suportaríamos tantas noites em claro, ou simplesmente quando voltaríamos a ter uma vida "normal"?

Diante de tantas dúvidas, temos encontrado diariamente no Senhor as respostas. Gostaria de compartilhar neste capítulo algumas dessas verdades aprendidas durante esses últimos dois anos com três bebês em casa.[1]

FORTALECENDO A BASE

Uma pesquisa realizada nos Estados Unidos afirmou que 20% dos casais se separam após a chegada de um bebê.[2] Essa informação, por mais triste que seja, revela a fragilidade em que se encontra o casamento, e isso não me surpreende. É só olhar a realidade ao nosso redor. Eu conheço dezenas de casais que se separaram após a chegada dos filhos e, de certa forma, isso me assustou quando chegaram os nossos.

Como pais de primeira viagem, levamos um choque duplo ao ter gêmeos. Quando há um só bebê, um dos pais pode assumi-lo para que o outro descanse. Esse revezamento de cuidados não acontecia com a gente. A nossa realidade era sem pausa, já que cada um de nós estava sempre com um bebê. Coisas simples, como dormir juntos em nossa cama no final do dia, se tornaram raras. Para que os bebês dormissem melhor — e consequentemente nós também —, passamos a dormir separados, além de viver meses sem dormir uma noite inteira. Diversas vezes chegamos a um nível alto de exaustão e estresse por tamanha demanda de afazeres.

No livro *Crianças francesas não fazem manha*, da autora Pamela Druckerman — também mãe de gêmeos —, conta-se

---

[1] Caso você queira saber mais sobre criação de filhos e como eu vivenciei isso, recomendo o meu outro livro: WITWITZKY, Fernanda. *As primeiras quatro estações*. São Paulo, Rio de Janeiro: Pilgrim, Thomas Nelson, 2021.

[2] Disponível em: https://www.psicologiasdobrasil.com.br/um-quinto-dos-casais-se-separa-ate-o-primeiro-ano-do-bebe-revela-estudo/

que foi realizada uma pesquisa em que se comprovou que o divórcio entre pais de gêmeos é maior do que entre outros pais. Ou seja, analisar os dados e observar a realidade ao nosso redor não era a melhor das nossas opções.

Porém, ao mesmo tempo que eu via vários relatos sobre os divórcios após a chegada dos filhos, olhava para o nosso relacionamento e o via mais forte. Isso não nos colocava em uma posição de perfeição ou superioridade, longe disso. Nós também tivemos e ainda temos as nossas desavenças e os dias em que a comunicação parece não funcionar. A casa bagunçada, os bebês chorando ao mesmo tempo, a comida no fogo queimando, tudo parece cooperar para que o relacionamento enfraqueça.

Contudo, em meio ao caos, comecei a perceber que todo o trabalho e a dedicação ao nosso casamento durante os anos sem filhos nos fez colher frutos nessa nova estação. Os ajustes, o acompanhamento com outros casais, a leitura, a vida de oração, tudo trabalhou a nosso favor.

Aprender a ser pai e mãe e a lidar com toda essa novidade era o nosso desafio. Ser marido e mulher, e poder contar um com o outro, era o nosso descanso.

Diante da rotina puxada com três bebês, eu e o Rafa tivemos a oportunidade de encontrar no casamento o nosso bálsamo. Ao final do dia, depois que os bebês dormiam, buscávamos tirar um tempo para nos conectar. Era um momento de desabafo, de conversas profundas, de rir de nós mesmos tentando ser pais ou de simplesmente oferecer e receber colo. Aprender a ser pai e mãe e a lidar com toda essa novidade era o nosso desafio. Ser marido e mulher, e poder contar um com o outro, era o nosso descanso. Dá pra perceber a diferença?

Nem sempre chegar a esse lugar é fácil; pelo contrário, exige muito de nós. Precisamos todos os dias escolher o caminho da paz. O que encontramos muitas vezes são casais que entram em um campo de batalha com a chegada dos filhos, transformando o próprio casamento no maior desafio. As prioridades se invertem, o cansaço domina, o carinho se perde e, não tem jeito, definitivamente esse é o caminho do afastamento. Acredito que esse não é o desejo de nenhum casal. Ninguém tem filho para perder o casamento. Casais têm filhos para formar uma família, e a família foi planejada por Deus para durar.

Ninguém tem filho para perder o casamento. Casais têm filhos para formar uma família, e a família foi planejada por Deus para durar.

Sempre que observamos famílias bem-estruturadas, encontramos algo em comum nelas: um casamento sólido. É muito comum vermos pais em dedicação máxima aos filhos, oferecendo o que há de melhor para eles e deixando as sobras para o cônjuge. Quando todos os esforços e a energia do lar são voltados somente para os filhos, existe uma desordem. O casamento precisa ser a base. Além de essa ordem ser benéfica para o casal, ela traz segurança aos filhos.

Para que isso aconteça, é preciso que o casal busque diariamente fazer os ajustes necessários. Nesse caso, o casal que ainda não tem filhos tem uma ótima oportunidade de utilizar seu tempo e recursos em favor do casamento e prepará-lo para a chegada dos filhos. É muito importante aproveitar esse tempo para se conhecerem como marido e mulher, sem fugir dos confrontos enquanto os filhos não vêm. Eu realmente acredito que, quanto mais ajustes forem feitos anteriormente, mais fácil será lidar com uma vida com filhos.

Ainda assim, nenhum casal está isento da necessidade de ajustes, não importa quantos anos os filhos tenham. O trabalho do casal nunca termina, pois o casamento está em eterna manutenção. Quantas vezes eu e o Rafa precisamos, no final de um dia cheio com os bebês, tirar um tempo para conversar e alinhar o nosso relacionamento? Porém, essas conversas conseguiam tomar um rumo saudável graças ao esforço e exercício de querermos fazer as coisas darem certo. Ninguém casa pronto, muito menos se torna um pai ou uma mãe prontos.

O trabalho do casal nunca termina, pois o casamento está em eterna manutenção.

No início deste livro, comentei que meus pais se casaram muito novos, e não tiveram tempo para eles sem a presença dos filhos. Todos os ajustes que tentaram fazer como casal aconteceram comigo e meus irmãos já em casa. Não foi fácil para eles, muito menos para nós, filhos. Enquanto meus pais tentavam a todo custo se entender como casal, a nossa casa se tornava um lugar de insegurança para nós. Tudo isso deixou muitas marcas não somente em nossa infância, mas também na vida adulta.

Precisamos levar com seriedade a importância dos ajustes dentro do casamento, desde que feitos de forma saudável. Não existe solução dos problemas a qualquer custo. Se ajustes precisam ser feitos, se o casal não tem conseguido fazer isso de forma respeitosa e se os filhos não estão sendo protegidos no processo, talvez seja o momento de buscar ajuda.

Outra forma de fortalecer o casamento é priorizá-lo por meio de seu tempo. Como um casal vai fazer do casamento um porto seguro se não gasta tempo juntos? É verdade que, com a chegada dos filhos, a quantidade de tempo disponível um para o outro muda muito. Ainda assim, é preciso que haja intencionalidade e esforço para que o casal gaste tempo sozinhos. Pode ser diariamente, depois que os filhos dormem; pode ser semanalmente, em um jantar a dois, ou em uma ida ao cinema. Eu sei que não é fácil conciliar tudo, mas esse esforço valerá a pena.

Não podemos nos esquecer de que um dia os filhos se vão, e o que vai restar será o casal. Quando um casal não se prioriza, ele se afasta. E o caminho do afastamento é o do estranhamento. Esse casal corre o risco de, quando os filhos se forem, não se conhecerem mais. Ou talvez tenham que catar cacos de um casamento negligenciado ao longo dos anos.

Quando um casal não se prioriza, ele se afasta. E o caminho do afastamento é o do estranhamento.

Imagine o casamento como a base de um campo de batalha. Ali é um lugar seguro. É onde o soldado encontra apoio, abrigo, e, caso esteja machucado, encontra cura. É na base que o soldado recarrega a bateria para continuar. Da mesma forma, devemos encontrar no casamento a base da família. É ali que os filhos encontram a segurança no lar. É ali que os cônjuges podem contar um com o outro quando tudo ao redor parece um campo minado. Dentro da família, o pai e a mãe não são soldados que lutam entre si; eles lutam juntos contra a mesma batalha. Como eu disse em meu livro *As primeiras quatro estações*:

> A Bíblia nos afirma em Eclesiastes que é melhor serem dois do que um e que um cordão de três dobras não se rompe facilmente. Isso revela que é ainda melhor ser um time de três do que de dois. Ter Deus como base da

nossa família e centro do nosso casamento nos coloca numa posição mais segura, pois, ao sermos tentados a nos afastar do nosso cônjuge, a perder a paciência diante do cansaço da criação de filhos e a desconfiar das capacidades do outro como pai ou mãe, olhamos para a cruz e nos arrependemos desses sentimentos, por mais legítimos que eles sejam. Escolhemos o caminho estreito do perdão e do arrependimento e caminhamos nos fortalecendo em Deus a cada dia, por amor a Ele e à nossa família.[3]

NASCE UMA MÃE

Antes de ter filhos, eu sempre dizia que queria criá-los como minha mãe fez comigo e meus irmãos. Nós três estivemos com ela em tempo integral até chegar a idade de entrarmos na escola, com cinco anos. Na minha cabeça, isso também funcionaria tranquilamente para mim. Se funcionou com a minha mãe, por que não funcionaria comigo?

Quando os meus bebês tinham alguns meses de vida, lembrei dessa minha ideia e pensei: "É simplesmente impossível!". Ao mesmo tempo que me vinha esse pensamento, eu não entendia por que eu me sentia assim. Eu sempre quis ser mãe, desde muito pequena. Por que a maternidade estava me parecendo tão desafiadora? Havia dias que eu tinha tantos pensamentos de desespero, que sentia até vergonha de confessá-los para alguém.

Em nosso grupo de amigos da nossa cidade, eu e o Rafa fomos os primeiros a ter filhos. Quando engravidamos

---

[3]WITWITZKY, Fernanda. *As primeiras quatro estações*. São Paulo, Rio de Janeiro: Pilgrim, Thomas Nelson, 2021.

do terceiro bebê, alguns deles começaram a engravidar também. Graças a Deus! A gente estava há um tempo se sentindo sozinho nessa caminhada de ser pais. Ainda assim, a nossa realidade com três bebês obviamente era bem diferente da deles. A gente se sentia uns alienígenas. A nossa rotina muitas vezes era um caos, e eu terminava o dia em lágrimas. Eu não conseguia confessar isso para as minhas amigas que estavam experimentando um maternar mais tranquilo. Eu não queria parecer ingrata, muito menos uma péssima mãe.

Por mais doce que fosse ter meus bebês nos braços, por mais que os amasse loucamente e estivesse realizando o sonho de ser mãe, administrar uma casa com três bebês que precisavam de mim era um desafio. Se eu achava que o casamento havia revelado o pior que havia em mim, a maternidade simplesmente escancarou todos os meus piores defeitos.

Se eu achava que o casamento havia revelado o pior que havia em mim, a maternidade simplesmente escancarou todos os meus piores defeitos.

Eu nunca me considerei uma pessoa egoísta, afinal sempre servi na igreja, vivi uma vida em comunidade, participei de diversos projetos sociais... até ter que servir aos meus filhos 24h por dia. Nunca me achei preguiçosa — até ter que levantar da cama todos os dias muito antes da hora desejada, para atender a um bebê. Nunca me achei reclamona — até me ver várias noites chorando no colo do Rafa, falando que eu não aguentava mais. Nunca me achei uma pessoa ambiciosa — até me sentir angustiada por estar há meses sem trabalhar e "produzir". Nunca me achei uma pessoa soberba — até me perceber achando que ninguém entenderia a minha realidade, porque ninguém tinha três bebês para cuidar.

Por alguns meses, achei que o meu maior desafio era criar os meus filhos. Foi quando me dei de cara com defeitos que nem eu mesma reconhecia. A minha verdadeira luta era contra mim mesma. Por trinta anos eu havia vivido a minha vida do meu jeito, quando, de repente, houve uma mudança de direção completa. Pelo resto da minha vida, eu já não seria mais a mesma.

Graças à misericórdia de Deus, esse desespero não foi o fim. Tive a oportunidade de cair e levantar diversas vezes nesses dois anos como mãe de três bebês. Hoje, eu ainda vivo um processo intenso de aprendizados dentro da realidade da maternidade e gostaria de compartilhar alguns deles com você.

Não caminhe só!

Eu jamais imaginei que a maternidade poderia ser tão solitária. Depois de me tornar mãe, não sentia falta de estar acompanhada, afinal estava sempre rodeada de três crianças. O buraco que existia era o da solidão de conversas adultas, de momentos de desabafo, ou de me distrair da nossa realidade puxada. Eu sentia falta de me sentir desejada para estar nos lugares, de ser convidada para noites de jogos ou de simplesmente alguém voluntariamente passar em nossa casa para tomar um café.

Nós nunca fomos muito caseiros e de repente passamos meses trancafiados dentro de casa. Primeiro, foi pela pandemia da covid-19; depois, pela falta de convite de outras pessoas, e depois pelo trabalhão de sair com três bebês. Quantas vezes voltamos para casa frustrados depois de uma saída com amigos, porque havia sido simplesmente um caos. Todas essas situações me levaram a uma solidão em que eu nunca havia estado. Eu precisava urgentemente de uma solução.

Foi quando passei a entender que a maternidade seria muito mais leve se compartilhada com outras pessoas. Para isso, muitas vezes precisei dar o primeiro passo de convidar alguém para sair, ou me convidar para ir aos lugares. Eu tinha algumas amigas fora da minha cidade que tinham mais de um filho; comecei a ter o hábito de mandar mensagens para elas compartilhando as alegrias e as angústias da maternidade. Dividir com outras mulheres os desafios de ser mãe, por mais que os delas fossem diferentes dos meus, foi o que mais me trouxe a sensação de que eu não estava só.

Dividir com outras mulheres os desafios de ser mãe [...] foi o que mais me trouxe a sensação de que eu não estava só.

Além de caminhar com outras mães, é muito importante reconhecermos que precisamos de ajuda. Para isso, temos que tirar a casca grossa da "supermãe" que dá conta de tudo sozinha e permitir que outras pessoas nos ajudem. Posso tranquilamente afirmar que a minha rede de apoio, formada por meus pais e sogros, foi o que me salvou de enlouquecer diversas vezes. Busque ajuda sempre que necessário! Reconhecer que não damos conta de tudo sozinhas não é o mesmo que afirmar que não somos mães boas o suficiente para nossos filhos, mas que não precisamos ser tudo para eles.

Reconhecer que não damos conta de tudo sozinhas não é o mesmo que afirmar que não somos mães boas o suficiente para nossos filhos, mas que não precisamos ser tudo para eles.

Existe um provérbio africano muito conhecido que diz: "É preciso uma aldeia para criar uma criança". A crença de que devemos fazer absolutamente tudo a sós nos afasta das pessoas e nos coloca em uma perigosa ilha de solidão. Sei que, por diversos fatores, não são todas as mulheres que têm a oportunidade de ter uma rede de apoio familiar. Mas crie a sua rede de apoio dentro da sua realidade. Seja uma amiga, uma vizinha, uma colega de trabalho — basta ser alguém que possa ao menos lavar a sua louça, te levar algo para comer ou ficar uma horinha com o bebê enquanto você toma um banho mais demorado.

Se as pessoas à sua volta não estiverem entendendo a sua necessidade, comunique isso claramente. Fale com amor daquilo que você precisa. Existem grandes chances de elas não terem se afastado por mal, muito menos saberem que você está realmente precisando de qualquer tipo de ajuda. Eu aprendi a sair de um ciclo de autocomiseração ao aprender a comunicar às pessoas à minha volta aquilo de que eu estava precisando. É mais fácil do que parece.

Eu aprendi a sair de um ciclo de autocomiseração ao aprender a comunicar às pessoas à minha volta aquilo de que eu estava precisando. É mais fácil do que parece.

Por mais óbvio que pareça, dentro dessa aldeia também está o pai. Eu tive — e ainda tenho — algumas dificuldades em deixar o Rafa assumir 100% o seu papel como pai. Nesses últimos anos, eu pude vê-lo se tornar um pai, da mesma forma que me tornei mãe. Nenhum de nós estava pronto e ambos aprendemos.

Quando desconfiamos da capacidade do nosso marido e não deixamos ele se tornar protagonista na criação de filhos, criamos vários buracos. Primeiro, perdemos a oportunidade de fortalecer o casamento e formar um time de cuidadores dos filhos. Segundo, colocamos as mães em um lugar de sobrecarga gigantesca ao ter que assumir todas as demandas da casa e do bebê sozinhas. Terceiro, afastamos o pai dos filhos, porque, ao não assumir os cuidados, ele nunca entenderá do que eles realmente precisam.

> Quando desconfiamos da capacidade do nosso marido e não deixamos ele se tornar protagonista na criação de filhos, criamos vários buracos.

Pratique o exercício de quebrar o pensamento de que só você dá conta, e abra espaço para o seu marido ocupar o lugar que Deus deu a ele como pai. Juntos, vocês formarão um time muito mais competente e conectado. Juntos, vocês poderão desfrutar de um lar que funciona melhor, pois todos participam dele.

Encontre momentos para você

Acredito que, como mães, um dos nossos maiores desafios é entender que, quando estamos bem, cuidamos melhor dos nossos filhos. Eu demorei um tempo para digerir essa ideia. Havia uma cobrança interna de que eu deveria estar disponível para os bebês 24 horas por dia, sete dias por semana. Esse comportamento até foi sustentável por algumas semanas; mas, depois de meses, comecei a perceber que eu já não estava "funcionando" bem.

Biologicamente falando, ao praticarmos atividades que nos dão prazer, nosso corpo libera hormônios que nos fazem bem — seja comer algo que gostamos, ver um amigo, abraçar quem amamos, fazer exercício físico, ler um livro ou ver um filme. Após a chegada de um bebê em casa, é comum que as mães abandonem práticas que lhes dão prazer.

Isso é absolutamente normal, porque parece que tudo precisa mudar e girar em torno dele.

Porém, precisamos enxergar os sinais de alerta ao passarmos muito tempo sem práticas que fortaleçam a nossa individualidade feminina. Por exemplo, eu passei a chorar muito, me sentia exausta, não conseguia fazer mais as tarefas diárias com energia ou alegria. Meu tanque estava completamente desabastecido enquanto eu entendia que ser mãe era me abandonar por completo.

É verdade que a vida após a maternidade se torna muito mais sacrificial e voltada para os filhos, mas isso não quer dizer que a nossa própria vida precisa desaparecer.

É verdade que a vida após a maternidade se torna muito mais sacrificial e voltada para os filhos, mas isso não quer dizer que a nossa própria vida precisa desaparecer. Existem diversas formas que podemos encontrar de nos abastecer, mesmo dentro das limitações de uma rotina corrida com filhos.

Depois de alguns meses direto com os bebês em casa, percebi que talvez era o momento de eu voltar a trabalhar aos poucos. Muitas mulheres não têm escolha quanto a isso, porque a renda da casa depende de seu trabalho, e esse também era o nosso caso. Porém, eu percebi que voltar a trabalhar e administrar melhor o meu tempo com os bebês também era uma forma de me abastecer como pessoa. Fazer reuniões, falar de outros assuntos, pensar em projetos e escrever — mesmo que fosse por apenas uma hora — seriam as pequenas doses de energia que eu precisava para chegar bem até o final do dia.

Sair do ciclo "dar mamá - trocar fralda - brincar no tapetinho - ninar um bebê - lavar mamadeiras" é preciso de vez em quando. Não seremos mães ruins ao encontrar momentos em nosso dia que nos tragam prazer fora da maternidade. Podem ser coisas simples, como tomar um banho longo ao final do dia, ligar para bater papo com alguém, ir tomar um café com uma amiga, passear em um parque ou fazer um exercício físico. Inclusive, caso você não tenha com quem deixar o seu bebê, você pode tentar fazer essas coisas com ele.

Não seremos mães ruins ao encontrar momentos em nosso dia que nos tragam prazer fora da maternidade.

Para nós, sempre foi óbvia a ideia de que os filhos precisam se adaptar à realidade dos pais. Mas, por conta da pandemia, nós praticamente não podíamos sair de casa, e ficamos meses vivendo completamente em função dos bebês. Por isso, eles não entraram em quase nada da rotina da nossa vida anterior. Isso foi muito maléfico, porque nos sentíamos sugados de todos os lados.

Conforme as coisas foram voltando ao normal, introduzimos os bebês em atividades que nós gostávamos de fazer como adultos. Passamos a encontrar alguns amigos, sair para tomar café da manhã na padaria, fazer um piquenique na companhia de pessoas queridas e ir à igreja. Tudo isso foi um desafio também para os bebês, por não estarem adaptados a esse tipo de rotina. Não vou dizer que era fácil, mas valia a pena. Voltávamos para casa exaustos, mas renovados mentalmente.

Seja intencional ao adicionar à sua rotina diária pequenos prazeres. Lembre-se de que eles podem ser bons aliados na criação de filhos.

Abra o coração para o Oleiro

Certa vez, um amigo nos disse que tradições familiares trazem senso de pertencimento. Criar momentos intencionais com os nossos filhos, algo que seja unicamente nosso, traz a eles uma sensação de que pertencem à nossa família. Talvez as melhores memórias que você tenha com os seus pais sejam de coisas simples que eles faziam com certa frequência com você.

> Criar momentos intencionais com os nossos filhos, algo que seja unicamente nosso, traz a eles uma sensação de que pertencem à nossa família.

Aqui em casa, por exemplo, todos os dias fazemos o mesmo ritual antes de os bebês dormirem. Banho, troca de roupa, hora da historinha, mamá e boa-noite. Todos os dias a mesma coisa, religiosamente. Esse ritual noturno virou praticamente uma das nossas tradições familiares. Quando a gente fala "Filhos, hora do banho!", eles saem sorridentes de onde estiverem e vêm com a gente para o banheiro. É incrível como essa sequência de repetições traz segurança a eles.

Da mesma forma que existe esse senso de pertencimento dos filhos à família, acredito que também existe um processo parecido para a mãe. Assim como as pequenas atitudes de tradições familiares moldam a família, os afazeres e sacrifícios diários moldam a mãe. Porém, isso é um longo processo. Os filhos já nascem dentro de uma família e por isso pertencem a ela. Em contrapartida, a mãe já existia e tinha determinada vida antes de a família nascer. Olhar o estranhamento inicial na maternidade sob essa ótica nos ajuda como mães a ter mais paciência enquanto nos adaptamos a essa nossa vida.

Certo dia, já grávida do meu terceiro bebê, eu estava apertada dentro do box do banheiro dando banho em um bebê enquanto o outro esperava sentado no meu colo. Eu podia sentir o terceiro bebê sendo esmagado dentro da minha barriga enquanto eu tentava me movimentar. Naquele exato momento tudo doía. A coluna, os pés, a barriga, e ainda faltavam muitas horas para o dia terminar. Havia sido um dia difícil, pois muitas coisas do meu trabalho deram errado e eu não estava bem emocionalmente. Quando me vi naquela cena, falei para o Rafa: "Pega o celular e tira uma foto disso, por favor?". Eu sabia exatamente o quanto tudo aquilo estava me custando e eu não queria esquecer do meu processo de pertencimento à nossa família. Eu queria, um dia lá na frente, olhar para aquela foto e lembrar que me tornar mãe não foi algo que ocorreu em um passe de mágica.

Os filhos já nascem dentro de uma família e por isso pertencem a ela. Em contrapartida, a mãe já existia e tinha uma determinada vida antes de a família nascer.

Antes, eu era a Fernanda. Hoje, além de ser ela, eu sou a mãe do Samuel, a mãe da Sara e a mãe do Isaac. Isso faz a minha vida ter absolutamente nada a ver com o que era antes. O meu dia, antes movido pelos meus próprios interesses, passou a ser preenchido por uma sequência de repetições em favor de outros. O "senso de pertencimento a mim mesma" passou por um longo processo ao se tornar um "senso de pertencimento à minha família". Tudo o que eu achava que sairia naturalmente de mim ao simplesmente me tornar mãe ainda é um exercício e um esforço diário.

As fotos e os vídeos de momentos felizes podem até esconder o trabalho que Deus tem feito em mim, mas é aqui, no dia a dia, que nitidamente eu me torno um barro sendo moldado pelo oleiro. Chegar a esse lugar de reconhecimento foi fruto de uma longa caminhada. Admitir que estava sendo penoso algo que era propósito de Deus para mim como mulher foi muito difícil. Afinal, lidar com essa adaptação era dar de cara com os meus defeitos. Ao mesmo tempo que eu me via fraca e incapacitada para conseguir passar por um dia longo com três bebês, eu lutava contra o desejo de ter a minha vida de antes.

As fotos e os vídeos de momentos felizes podem até esconder o trabalho que Deus tem feito em mim, mas é aqui, no dia a dia, que nitidamente eu me torno um barro sendo moldado pelo oleiro.

Foi quando percebi que eu não precisava ser a mãe perfeita, nem a mulher que facilmente se adaptaria a tantas mudanças de uma nova vida. Enquanto eu buscava maneiras de ter mais prazer na maternidade, descobri que o que eu mais precisava era abrir o meu coração para o que Deus queria trabalhar em mim como mulher. Esse "lugar estranho" que havia se tornado o meu lar era o lugar ao qual eu pertencia. E era justamente nessa estranheza que eu passaria a depender de Deus.

Enquanto eu buscava maneiras de ter mais prazer na maternidade, descobri que o que eu mais precisava era abrir o meu coração para o que Deus queria trabalhar em mim como mulher.

Esse novo senso de pertencimento me trouxe a perspectiva de que aquilo que Deus espera de nós é uma vida que não pertence só a nós. É só parar um pouco para ler a Bíblia que poderemos encontrar a vida de grandes homens e mulheres em dedicação total a algo que não só a eles mesmos.

No fim das contas, o senso de pertencimento à minha família me trouxe um senso de pertencimento a Deus. Para que os meus filhos sintam que pertencem à nossa família, eu preciso entender que pertenço a Deus. Essa ordem é justa Criar os filhos não é fruto do nosso próprio esforço, mas é um trabalho intenso de buscar ajuda do Senhor.

Criar os filhos não é fruto do nosso próprio esforço, mas é um trabalho intenso de buscar ajuda do Senhor.

NASCE UM PAI

Por Rafael Carrilho

Eu sempre gostei muito de cuidar de plantas. É interessante o quanto podemos aprender sobre Deus e sobre a humanidade durante os momentos de jardinagem. Uma das lições que aprendi com as plantas foi sobre a paternidade.

Resolvi plantar um pé de acerola. Para isso, comi alguns frutos, separei as sementes e as deixei secando no sol por um dia. Depois preparei o solo, fiz um buraquinho nele, posicionei a semente da melhor forma possível, reguei e... pronto! Assim concluí o primeiro dia. Na manhã seguinte, fui checar como a terra estava e decidi regar novamente. Durante duas semanas, repeti esse processo: olhar a terra, regar e observar. Percebi que não havia naquela terra nenhum sinal de vida e comecei a me questionar: "Será que estou regando demais? Ou será que coloquei a semente na posição errada? Essa terra realmente estava boa?". Mesmo diante das dúvidas, eu insisti.

Todos os dias eu seguia regando, observando e torcendo para que funcionasse. Após aproximadamente quarenta dias, a semente germinou e comecei a ver aquele brotinho saindo da terra. Que sensação incrível! À medida que ele ia crescendo e as folhas nasciam, eu ficava ainda mais animado. Naquele momento, algo no meu coração me disse: "É exatamente assim a paternidade. Cuidado e dedicação são necessários antes mesmo de vermos nascer qualquer coisa. São meses e meses de fé, perseverança e intencionalidade. E, quando você pensa que o trabalho já está concluído, na verdade é só o começo de uma vida".

É interessante pensar que as pessoas estão sempre perguntando para o pai: "E aí, já caiu a ficha de que você vai ser pai?". Faz sentido essa pergunta não ser feita para as mulheres, afinal o processo de construção da maternidade e da paternidade são de fato muito diferentes.

A mulher passa por uma transformação fisiológica durante os nove meses de gestação. É inundada por hormônios, o seu corpo se transforma, tem náuseas, desejos inesperados, acorda feliz e, em um piscar de olhos, já está chorando de desespero, entre outras diversas mudanças. E o homem? Pois é... fisiologicamente nada acontece com a gente. Aparentemente, nossa vida segue a mesma. Justamente por isso muitos homens seguem literalmente iguais, vivendo em uma realidade paralela, distante de todo o processo da gravidez, até o momento em que a realidade bate à porta e grita: "Buáááááááááá". Pegamos o bebê no colo, a ficha finalmente cai e pensamos: "E agora? O que eu faço?".

É claro que o homem não pode gerar o bebê pela mulher, ou passar por tudo o que ela sente. Mas é possível que exista outro tipo de transformação em nós como pais, mesmo antes da chegada do bebê.

Deus nos criou de uma forma integral — um corpo cheio de capacidades, uma alma repleta de emoções e sentimentos e um espírito com o qual nos conectamos ao nosso Criador. Precisamos deixar para trás a visão dualista de corpo e espírito, em que um é mais importante que o outro. O próprio Jesus, quando conversou com Nicodemos sobre nascer de novo (João 3:6), falou sobre um nascimento espiritual e um nascimento corporal: um não anula o outro.

Paulo igualmente afirma que Deus nos santifica nessas três áreas de corpo, alma e espírito:

> Que o próprio Deus da paz os santifique inteiramente. Que todo o espírito, alma e corpo de vocês seja conservado irrepreensível na vinda de nosso Senhor Jesus Cristo. (1Tessalonicenses 5:23)

Entendendo o versículo como um conceito integral segundo o qual somos corpo, mente e espírito, vamos buscar, a seguir, como podemos exercer nossa paternidade como um todo.

Corpo

Como profissional de educação física, sempre me preocupei em praticar algum esporte e me manter fisicamente ativo. Na faculdade aprendemos muito sobre a importância da prática regular de exercício e, principalmente, vemos todas as doenças que podemos evitar com um estilo de vida mais saudável.

Para mim, o exercício sempre foi uma ferramenta para construir um futuro melhor com a minha família.

Me imagino brincando de pega-pega com meus filhos, subindo em árvores e apostando corrida com os meus netos. Para isso, precisei começar cedo a me exercitar.

O termo "dimorfismo sexual" é usado para diferenciar nossas características anatômicas, genéticas e biológicas enquanto homens e mulheres. Vemos tais diferenças de forma prática em questões hormonais, aparência física, capacidades emocionais, estruturas físicas etc. Deus nos criou diferentes, pois temos propósitos e funções diferentes, a fim de que possamos servir uns aos outros em amor. Entendendo que somos diferentes das mulheres e que essa diferença precisa ser usada para servir, cuidar e proteger a nossa família, fica o questionamento: o que temos feito com o nosso corpo?

No jardim do Éden, Deus nos fez com um corpo cheio de capacidades criativas. Ele ordenou a Adão que desse nome aos animais e que cuidasse do jardim, o que exigia preparo físico. Ou seja, Deus nos fez para estarmos fisicamente ativos. Pense no corpo humano como um carro. Ou melhor, como uma Ferrari — um carro espetacular desenhado para correr e atrair olhares por onde passa; uma verdadeira obra-prima em todos os seus aspectos. Imagine que certa Ferrari tenha um dono que decide deixá-la na garagem. Todos os dias, ele lava o carro, lustra sua pintura, mas nunca sai da garagem nem mesmo para dar uma volta. Acontece que, com o tempo, aquela Ferrari vai estragando e parando de funcionar. Permanece bonita por fora, mas não cumpre todo o seu potencial, muito menos o seu propósito básico: se locomover.

Nós somos essa Ferrari. Temos um corpo desenhado por Deus e cheio de capacidades. Temos força física, resistência cardiorrespiratória, velocidade, flexibilidade, agilidade e muitas outras capacidades físicas que nos tornam seres espetaculares. Porém, muitas vezes somos iguais à Ferrari na garagem. Vestimos roupas bonitas, cuidamos da nossa aparência física, mas somos sedentários. Não exploramos toda a capacidade que o nosso corpo tem para oferecer.

Além dos problemas mais conhecidos associados ao sedentarismo, é preciso enxergar o grande potencial de vida que perdemos ao não manter nosso corpo fisicamente ativo. Perdemos oportunidades de viver um presente e um futuro com mais qualidade e quantidade. Acabamos vivendo menos e pior.

Durante os últimos meses de gestação dos bebês e logo após o parto, a Fernanda ficou muito limitada fisicamente. Então, quem teve que assumir várias posições novas fui eu. Eu tinha que a levar na cadeira de rodas para os lugares, subir e descer as compras do mercado (não havia elevador onde morávamos), levar os dois bebês dentro do bebê conforto para todos os lados (e eles pesavam, viu?), cuidar da casa e, principalmente, ter energia para a rotina com os bebês. Hoje eu vejo o quanto foi importante eu estar em uma ótima condição física para assumir atividades como aquelas e as demais que terei de cumprir como pai ao longo dos anos.

Que o nosso corpo não seja como uma vitrine para esbanjar a suposta beleza que existe em nós, mas um vitral pelo qual reflitamos a Cristo. Como pais, devemos buscar ter a saúde física e a força necessária para servir à nossa família, cumprindo o propósito para o qual o nosso corpo foi criado.

Mente

Sabemos que as nossas emoções e os nossos sentimentos são um aspecto importantíssimo do nosso bem-estar. Da mesma forma, vemos cada vez mais a nossa saúde mental ir pelo ralo diante do estresse no trabalho, da tecnologia nos deixando cada vez mais ansiosos e de uma sensação de constante incerteza sobre o futuro.

Lembro quando a Fernanda me contou sobre a gravidez do nosso terceiro filho. De primeira, a minha reação foi de muita alegria, mas depois eu fiquei em choque, afinal não estávamos planejando outro bebê naquele momento. Os gêmeos tinham apenas sete meses, não dormiam a noite toda, um deles não comia bem e eu estava em um trabalho com baixa remuneração (além do fato de estarmos vivendo em meio a uma pandemia). Por mais que eu sempre tivesse sonhado com ter a casa cheia de filhos, comecei a pensar que talvez aquele não seria o momento mais racional para ter mais um bebê. Vários medos surgiram com relação a como seria o futuro com três bebês em casa. Me questionava se iríamos conseguir manter a casa financeiramente, se os gêmeos reagiriam bem à chegada de outro bebê, além de pensar como ficaria o nosso casamento com a demanda de tantos bebês.

É natural que o homem tenha a tendência a pensar em questões mais práticas quando somos surpreendidos com notícias como essas. Em meio a tantos pensamentos, decidi orar. Entreguei todas as minhas aflições e preocupações nas mãos de Deus. Pedi que ele me desse uma nova perspectiva para enxergar com os olhos dele a vida desse bebezinho que estava se formando, em vez da minha visão limitada. É verdade que as preocupações não desapareceram, mas um sentimento de paz e de segurança tomou conta de mim. Comecei a pensar em todos os momentos maravilhosos que teria futuramente com esse bebê; eu o imaginei brincando com os gêmeos; pude lembrar como a Fernanda fica linda com aquele barrigão de grávida e passei a ter uma perspectiva diferente sobre essa gravidez.

Do momento em que descobrimos a gravidez até depois que a criança nasce e amadurece, teremos muitos momentos de medos e dúvidas como pais. Simplesmente não vai funcionar carregar um fardo pesado de preocupações durante todo esse tempo. Por isso, trabalhar a mente e as emoções faz parte da paternidade em diversos aspectos. Como homens, temos uma tendência natural de entrarmos em nossa caixa e ficarmos ali. Temos uma falsa sensação de que esse lugar é seguro, porque ali ninguém entra. Porém aí também está o perigo. Vemos pais desconectados dos seus filhos emocionalmente, sobrecarregados mentalmente e, consequentemente, distantes de sua família.

A paternidade não foi feita para ser vivida só. Ao lado da mãe, o pai pode formar um time forte na criação de filhos. Juntos, eles compartilham esse desafio. Dessa forma, ninguém precisa andar sobrecarregado mentalmente. Desde que me tornei pai, tive diversas oportunidades de contar para a Fernanda os meus medos e desafios com relação à paternidade. Da mesma forma, ela sempre se abriu comigo. Nessa troca, além de não nos sentirmos sozinhos, aprendemos um com o outro formas de como lidar com os filhos. Precisamos utilizar a nosso favor as diferenças de visões do homem e da mulher sobre as questões familiares. Existem coisas que, como mãe, a Fernanda me ajuda a enxergar de forma diferente, e assim, eu, como pai, também consigo ajudá-la a ter outra perspectiva.

Por fim, o lugar das nossas emoções como pais é aos pés da cruz. Somente através de uma vida de oração poderemos encontrar a sabedoria necessária para lidar com os desafios da nossa mente e descansar sabendo que temos um Pai que cuida de nós e da nossa família. Não podemos cair na armadilha de enterrar nossos sentimentos ou não sermos vulneráveis. Isso é como uma bomba-relógio que em algum momento vai explodir e será muito pior. Devemos conversar abertamente com nossa esposa sobre nossos medos, nossas angústias e frustrações, bem como nos lembrar sempre de que temos um Deus que cuida de nós a todo momento. Como o apóstolo Pedro nos ensina: "Lancem sobre ele toda a sua ansiedade, porque ele tem cuidado de vocês" (1Pedro 5:7).

Espírito

Não podemos dividir o que é espírito, alma ou corpo. Somos os três e cada um deles tem um papel importante em quem nós somos. Deus nos criou de forma plural, de maneira que Ele pode ser glorificado em todas essas áreas.

Em seu livro *Liturgia do Ordinário*, a escritora Tish H. Warren diz: "O tipo de vida espiritual e as disciplinas necessárias para sustentar a vida cristã são silenciosos, repetitivos e ordinários".[4] Em contrapartida, vivemos em um tempo no qual ansiamos por momentos extravagantes e emotivos. Queremos uma vida espiritual em que vamos à igreja ouvir um louvor incrível, choramos na presença de Deus, vemos curas e milagres e praticamos todos os dons espirituais de uma vez. Mas esquecemos que a maioria esmagadora da nossa vida é feita de dias comuns, silenciosos, repetitivos e ordinários. Não servimos a um Deus que somente fala conosco dentro de templos, mas que é perfeitamente capaz de trabalhar em nosso coração na vida rotineira de um lar.

Nesse sentido, a paternidade tem feito parte de um grande crescimento espiritual em minha vida. Quando os bebês saíram da fase de apenas mamar e dormir o dia inteiro, eles entraram numa etapa muito legal de aos poucos irem se tornando mais crianças e menos bebês — começaram a andar, brincar e conversar. Com essa fase deliciosa, vieram novos desafios. Eles começaram a nos desafiar, fazer birras e, às vezes, a nos desobedecer. Tudo isso faz parte do meu dia como pai. De início, eu me assustei com o fato de que de repente dois bebês frágeis e "inocentes" poderiam se tornar miniadultos que fazem coisas erradas. Todo o meu olhar angelical sobre os meus filhos começou a se tornar um olhar menos misericordioso. Por diversas vezes eu não tinha paciência ou simplesmente me sentia perdido sem saber o que fazer. Nessa nova fase de educar os filhos, percebi claramente a dependência que eu deveria ter de Deus. Criá-los de

[4]WARREN, Tish H. *Liturgia do ordinário*: práticas sagradas para vida cotidiana. São Paulo: Pilgrim/Rio de Janeiro: Thomas Nelson, 2020. p. 51.

forma correta não seria resultado da minha própria força e sabedoria, mas fruto de uma vida de busca a Deus.

Nessa mesma fase, também pude entender a importância de ser um bom exemplo na vida deles como pai. Afinal, tudo o que fazíamos eles repetiam. Era uma grande responsabilidade ter um bom comportamento dentro de casa como homem, e essa tarefa só era possível através da busca pelo exemplo de Cristo.

Outra maneira que encontrei de me aproximar de Deus na paternidade foi através de uma vida de oração constante. O fato de me preocupar com os meus filhos e querer vê-los crescendo no caminho do Senhor me fez orar muito mais. Quantas vezes, ao dar o mamá na mamadeira para eles, aproveitava o momento para colocar a mão sobre suas cabeças e orar por cada área de suas vidas! Esse virou um hábito que repito até hoje com eles quando os coloco para dormir.

Situações como essas, e outras tantas, são pequenos exercícios de uma vida ativa espiritual. Somando tudo isso, podemos olhar para trás e ver, ao final do dia, que corremos uma longa maratona com o Senhor. Se, como pais, entendermos que tudo o que fazemos precisa refletir a glória de Deus, teremos uma nova perspectiva sobre uma rotina monótona, repetitiva e, aparentemente, sem graça.

A frase "Quando nasce um filho, nasce um pai" nunca fez muito sentido para mim. Acredito que esse processo não é automático e simples como a frase coloca. Por mais assustador que isso soe, a paternidade no homem pode ser construída antes mesmo de um filho nascer. É possível cuidar do corpo, da mente e do espírito de forma que, quando o filho nascer, com ele venha um pai que já estava preparado para esse momento.

É inegável a importância da presença de um pai na vida do filho. Sabemos bem disso ao viver em um mundo com a triste realidade de tanto abandono paterno. Parece que se ignoram as sérias consequências emocionais e espirituais que a falta de um pai pode gerar. Como homens, precisamos nos lembrar de que Deus é um Pai que assume os seus filhos. Não só os assume, como entregou a sua própria vida a eles. Essa é a verdadeira paternidade. Por mais que não nasçamos prontos para ser pais, podemos contar com a graça e a misericórdia de Deus que nos alcança e nos ajuda a sermos um pai para nossos filhos assim como Deus o é para nós.

O PROPÓSITO DOS FILHOS NA FAMÍLIA

A chegada dos filhos é definitivamente um divisor de águas na dinâmica de um lar. É impossível um casal que vive integralmente a criação de filhos dizer que a vida continua a mesma depois que eles chegaram. Justamente por isso, existe hoje entre muitos casais um medo e até certa fuga da vivência da parentalidade. Os filhos, descritos na Bíblia como bênção, se tornaram o terror da vida adulta.

Eu nunca entendi esse terror todo que muitos pais colocam em cima da criação de filhos, até eu ter que criar os meus. Posso afirmar do lado de cá que, dependendo da forma como encaramos essa etapa da vida, realmente ela pode se tornar um pesadelo. E não digo isso baseado em bebês fofinhos e felizes, ou na doçura que é acompanhar o desenvolvimento deles. Digo em meio a fraldas sujas, casa bagunçada, gritos de birra, muitas e muitas noites em claro e falta de tempo entre o casal. Logicamente, criar filhos não se resume a isso, mas, levando em consideração que a vida experimentada antes não incluía esse pacote de desafios, podemos entender o peso que ele pode ter.

Alguns meses após o nascimento dos nossos bebês, decidi voltar a trabalhar. Quando isso aconteceu, percebi a minha dificuldade em deixar o trabalho para voltar a assumir a maternidade. Era uma luta diária. Por muitas vezes eu preferia passar oito horas em frente ao computador a passar duas horas lidando com a logística de cuidar dos meus três bebês.

Ao mesmo tempo que me sentia culpada por esse sentimento, ele me parecia muito óbvio. O meu trabalho era previsível. Eu me esforçava e tinha retorno. Eu lidava com adultos e de certa forma sabia o que esperar deles. Quanto mais eu me dedicava, melhor o meu trabalho ficava e, consequentemente, maior sucesso eu obtinha. Parecia até uma fórmula. Que prazer era desfrutar desse ciclo perfeito.

Era bem diferente com os filhos. Eu me esforçava diariamente para assumir as rédeas da nossa casa e tomar o controle das situações. Estudava muito sobre rotina do bebê, me jogava nos livros sobre criação dos filhos, esquematizava o nosso dia e as diversas atividades que podíamos fazer para distraí-los. O resultado de tudo isso na maioria das vezes não era o esperado. Essa conta não fechava. A fórmula perfeita que eu buscava encontrar incessantemente era frustrada pelo comportamento que eles tinham. Eles não dormiam exatamente na hora que eu gostaria, ou quantas horas eu precisava que dormissem. As birras apareciam cada vez mais e eles choravam me pedindo colo ao mesmo tempo, e eu era apenas uma.

A falsa sensação de controle que eu tinha sobre a minha vida enquanto trabalhava era completamente desmascarada quando eu tinha que assumir o trabalho com os meus filhos. O problema nunca foi gostar do meu trabalho, mas era o meu coração viciado em satisfazer seus próprios prazeres.

O líder religioso David O. McKay uma vez disse: "Nenhum sucesso na vida compensa o fracasso no lar". Essa frase trouxe o meu coração para o devido lugar diversas vezes. O sucesso que eu buscava no meu trabalho só escancarava o tamanho do medo que eu tinha dos pequenos fracassos diários da maternidade.

O sucesso que eu buscava no meu trabalho só escancarava o tamanho do medo que eu tinha dos pequenos fracassos diários da maternidade.

Se pararmos para analisar, as nossas maiores dificuldades como pais apenas revelam os maiores ídolos do nosso coração. Eu tinha dificuldade em lidar com as birras dos meus bebês, porque o comportamento deles fugia ao meu controle e revelava o meu coração controlador. Era um desafio ter que diariamente levantar do sofá para preparar alimento para eles, porque isso revelava o meu coração preguiçoso. Me parecia entediante sentar no tapete e brincar com eles diversas vezes ao dia, porque revelava o meu coração viciado em distrações e novidades fornecidas pelo meu celular.

Certo dia, saímos com os bebês para visitar uns amigos e eu voltei completamente chateada para casa. Eles não sorriam para as pessoas, não queriam ir no colo de ninguém, só ficavam grudados com a gente. Passei o tempo todo ouvindo das pessoas: "Eles são bem sérios e grudados em vocês, não é?". Eu entrei no carro extremamente frustrada. Comecei a orar e a perguntar a Deus por que aquilo me atingia tanto. Foi quando percebi que o que me chateava não era o comportamento dos meus bebês. Aquela angústia era fruto de um coração que idolatrava a opinião das pessoas sobre mim e sobre a minha família. Eu não queria de jeito nenhum que alguém pensasse que eu não era uma boa mãe, que não estava criando os meus filhos bem ou que eles não eram agradáveis. Realmente, ninguém quer. Mas aquilo tinha tomado um peso desproporcional em meu coração. A partir daquele dia, decidi mudar a minha perspectiva.

Para nós, cristãos, assim como o casamento, a criação de filhos é o caminho para a santificação. É justamente quando os nossos pecados ganham nomes e são descobertos que o Senhor encontra uma oportunidade de nos transformar e nos tornar mais parecidos com Ele. Enquanto buscamos encontrar contentamento na criação de filhos, tentando achar a fórmula para tudo funcionar maravilhosamente bem, nos afastamos do real sentido da parentalidade.

A criação de filhos é o caminho para a santificação.

Pais que têm filhos para encontrar satisfação em uma vida perfeita correm risco de tornar o sonho da família num grande pesadelo. É preciso tirar os filhos da superfície de realizações pessoais e trazê-los para a profundidade de seu propósito dentro do lar.

Nós, como pais, somos intensamente incentivados a criar os nossos filhos da forma perfeita, de acordo com o melhor método. Nesse caminho, nos esquecemos de olhar para nós mesmos e para aquilo que o Senhor quer trabalhar em nós. Enquanto corremos a maratona diária da criação de filhos, apenas desejando que o dia passe logo e acabe, perdemos grandes oportunidades de desfrutar da vida familiar e de aprender com o Senhor.

Os filhos só deixarão de ser um peso quando os enxergarmos sob a ótica do nosso Criador. O médico americano John Trainer diz: "Filhos não são uma distração do trabalho mais importante, filhos são o trabalho importante". Que essa verdade soe em nossos corações todos os dias, mesmo em meio ao caos. Que as virtudes necessárias para nos tornarmos bons pais não sejam mérito de uma busca incessante pela perfeição, mas venham do reconhecimento do quanto precisamos do Senhor.

Que as virtudes necessárias para nos tornarmos bons pais não sejam mérito de uma busca incessante pela perfeição, mas venham do reconhecimento do quanto precisamos do Senhor.

Aperfeiçoando

PERGUNTAS

Casais sem filhos:

1. De que forma vocês têm se preparado como casal para a chegada dos filhos?
2. Cite alguns ajustes que vocês acreditam que precisam ser feitos antes de os filhos chegarem.
3. Qual é o seu maior medo ao se tornar pai/mãe?

Façam juntos uma oração entregando os seus futuros filhos nas mãos do Senhor. Ore para que ele os capacite e fortaleça como casal para um dia viver a missão da parentalidade.

Casais com filhos:

1. O casamento tem sido uma prioridade para vocês? Se não, de que forma poderiam colocar um ao outro como prioridade? (Façam uma lista de ideias de atividades que vocês poderiam fazer juntos diária ou semanalmente.)
2. Qual tem sido a maior dificuldade do casal desde que os filhos chegaram? De que forma vocês poderiam melhorar isso?
3. Se os seus filhos pudessem descrever como é o casamento de vocês, o que eles diriam?

Após responder às perguntas, tirem um tempo como casal para orar pelo casamento de vocês. Confessem ao Pai as suas maiores dificuldades como cônjuges e peça ao Senhor ajuda para construírem o casamento como base da família. Depois, orem por cada filho, entregando suas vidas nas mãos de Deus. Ore pelo seu presente e futuro.

Para a mãe:

1. Escreva cinco características que são o seu ponto forte na maternidade. (Exemplo: "Sou boa em organização", "Sou boa em brincar com os meus filhos".) Enxergar os nossos pontos positivos nos faz entender que não precisamos ser boas em tudo como mães, mas que devemos dar o nosso melhor dentro das nossas limitações.
2. Qual tem sido o seu maior desafio desde que se tornou mãe?

SUGESTÕES

Faça uma lista de atividades que te dão prazer e que você poderia incluir na sua rotina como mãe.

ORAÇÃO

Escreva uma oração a Deus confessando as suas dificuldades, abrindo o seu coração sobre tudo o que tem sentido. Finalize a oração pedindo a Ele que te dê as virtudes necessárias

Para o pai

1. Que características do seu pai você admira e gostaria de levar para a sua paternidade? O que você gostaria de fazer diferente?

2. Entendendo que o "nascimento" da paternidade é um processo, escreva que atitudes você tem tomado hoje para ser um pai melhor no futuro. Caso você já seja pai, quais características em você precisam de um "novo nascimento"?

3. Buscando aperfeiçoar nosso corpo, mente e espírito para melhor servirmos à nossa família, liste três atitudes que você poderia tomar para melhorar em cada uma dessas áreas.

SUGESTÕES

Gostaria de te desafiar a plantar uma semente de alguma fruta que você goste. Encare essa atividade como um aperfeiçoamento da sua paternidade. Busque se conectar com o exercício, para que você desenvolva paciência, disciplina, constância, dedicação, dentre outros aspectos do seu caráter como pai.

ORAÇÃO

Se você é casado, tome as mãos de sua esposa neste momento. Caso você ainda não seja casado, tome esse momento para si. Traga à memória o pai que você quer ser na vida dos seus filhos, e então faça uma oração pedindo a Deus que te dê sabedoria e discernimento para instruir seus filhos no caminho da graça de Deus. Peça que o Espírito Santo possa te dizer o que você precisa aperfeiçoar para se tornar um pai segundo o coração do Senhor.

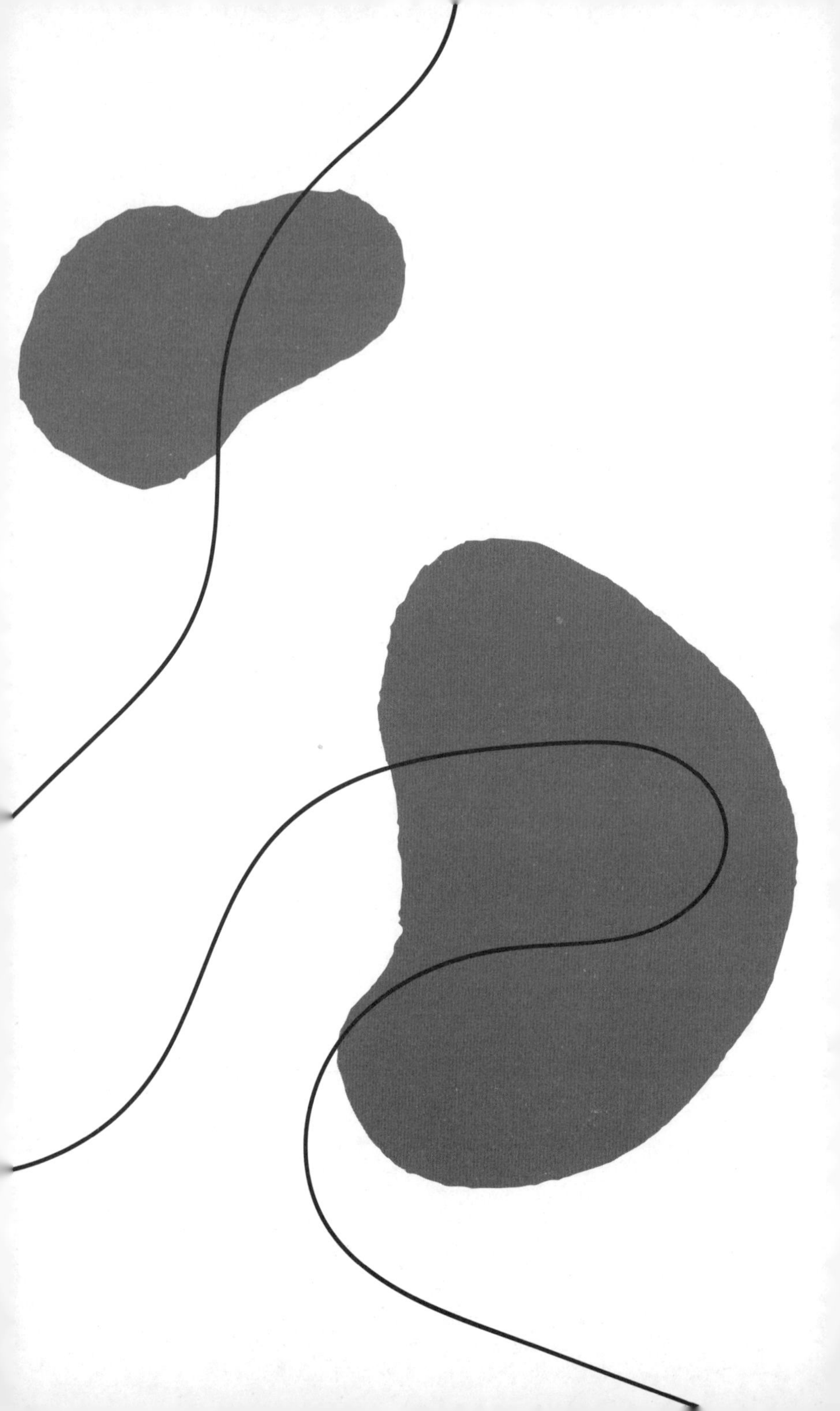

Capítulo 7

O TRABALHO ÁRDUO

"O amor é paciente, o amor é bondoso. Não inveja, não se vangloria, não se orgulha. Não maltrata, não procura seus interesses, não se ira facilmente, não guarda rancor. O amor não se alegra com a injustiça, mas se alegra com a verdade. Tudo sofre, tudo crê, tudo espera, tudo suporta."

1Coríntios 13:4-7

O FIM DO ROMANCE

Entrando em nosso sétimo ano de casados, nasceu o nosso terceiro filho, Isaac. Lembro que, antes da chegada dele, por diversas vezes eu me desesperava. "Se mal damos conta de dois bebês, como vamos conseguir com três?"; "Como vamos dar mamá e fazer os três dormirem ao mesmo tempo?"; "E quando os três quiserem colo? Somos apenas dois...". Eu passava horas tentando esquematizar em vão na minha cabeça alguma forma de o nosso lar funcionar.

Até que o Isaac chegou.

Milagrosamente, as coisas começaram a funcionar, até melhor do que estavam. Os bebês, antes parecendo ansiosos e inseguros com tantas mudanças, se acalmaram. Eu e o Rafa, que muitas vezes agíamos como pais desesperados, amadurecemos e passamos a ter mais controle das situações.

Passei por algo parecido no início do nosso casamento quando começamos a ter nossos primeiros problemas como casal. No auge dos desentendimentos e com um olhar de desesperança, eu olhava para o futuro e só conseguia ver divórcio. No meio do furacão, tentava vislumbrar um casamento duradouro, e isso me parecia impossível. E pior, me peguei muitas vezes questionando se eu tinha tomado uma boa decisão em me casar. Depois que os três bebês vieram — praticamente de uma vez só —, eu me perguntei se havia tomado uma boa decisão em ser mãe. Sim, eu que sempre sonhei com uma família cheguei a pensar assim.

> Enquanto baseava minhas relações em sentimentos românticos sobre a vida, eu me afastava do verdadeiro propósito da família.

Porém, foram esses mesmos pensamentos que me levaram a questionar o quão frágeis estavam as minhas crenças com relação ao casamento e à família. Quando as coisas estavam bem, tudo parecia se encaixar, mas, quando os primeiros desafios apareciam, tudo perdia sentido. Enquanto baseava minhas relações em sentimentos românticos sobre a vida, eu me afastava do verdadeiro propósito da família. Meu amigo André Costa, casado e pai de cinco filhos, uma vez disse algo muito interessante sobre o casamento: "Ninguém casa por amor; casamos para aprender a amar! Românticos precisam superar o 'amor acabou' como justificativa viável para terminar um casamento. É no velório da paixão que o amor nasce!". O romance diz que somos especialistas em amar; o amor nos convida a humildemente aprender a amar. O romance diz que só precisamos sentir; o amor nos convida a agir. O romance é movido pelo impulso; o amor floresce na arte de pacientemente esperar. O romance é alimentado por suas próprias expectativas; o amor cresce ao se libertar de seus próprios interesses. O romance simplesmente acaba; o amor encontra forças para durar.

O romance simplesmente acaba; o amor encontra forças para durar.

Isso não é dizer que atitudes românticas são ruins para o casamento. Apenas significa que elas são a cereja de um bolo cujos ingredientes são uma boa junção de amor e muito trabalho.

A ESTRUTURA DE UM LAR

O problema não estava no suposto desafio de manter firme um casamento. O problema era eu achar que as nossas imperfeições eram motivo suficiente para o casamento acabar. Nada que está em perfeito estado exige trabalho. Sendo assim, o casamento é um trabalho árduo porque é a junção de duas pessoas imperfeitas. E esse trabalho é tanto horizontal quanto vertical. Enquanto nos esforçamos por um casamento saudável, existe um trabalho paralelo de Deus em nós. Uma vez ouvi que nossas incompatibilidades são agendadas por Deus para que ele trabalhe em nosso próprio caráter. Por isso, o reconhecimento das nossas imperfeições é o primeiro passo do casal em busca do aperfeiçoamento.

Enquanto nos esforçamos por um casamento saudável, existe um trabalho paralelo de Deus em nós.

Recebo com frequência nas redes sociais mensagens de pessoas falando que queriam ter um casamento e uma família estruturados como os nossos. Às vezes eu leio mensagens como essas dentro do banheiro, com três crianças berrando lá fora e um marido contando os segundos para eu sair dali. Saindo do banheiro eu encontro birras, uma Fernanda estressada e um marido impaciente. A nossa família também é assim.

O lar é o nosso maior lugar de confronto. É aqui dentro que temos espaço para errar, mas principalmente onde mais tentamos acertar. Aqui é lugar de treinamento, não de perfeição. Fico imaginando Deus olhando para todos os lares como um oleiro olha para o barro. Ele vê o fim. Ele vê aquilo que podemos ser e nos dá oportunidades diárias de sermos quebrados.

O lar é o nosso maior lugar de confronto. É aqui dentro que temos espaço para errar, mas principalmente onde mais tentamos acertar.

O lar não é lugar de um casal perfeito, nem de filhos que nunca desobedecem — o lar é lugar de crescimento. Olhamos para as nossas falhas e ainda assim amamos uns aos outros. Melhor, olhamos para as nossas falhas e ajudamos uns aos outros a melhorar. A estrutura de um lar não está na perfeição dos que ali habitam; está na busca diária pelo aperfeiçoamento.

Olho para o meu marido e não vejo um príncipe — vejo um homem de coração humilde e disposto a melhorar. Olho para os meus filhos e não vejo três anjinhos — vejo crianças em processo de amadurecimento. Olho para mim mesma e não vejo uma supermulher — vejo alguém completamente ciente da sua necessária dependência de Deus. Somos cinco pecadores se esforçando para a família se estruturar.

A estrutura de um lar não está na perfeição dos que ali habitam; está na busca diária pelo aperfeiçoamento.

Falando em estrutura, em Mateus 7:24-27 Jesus diz:

> Portanto, quem ouve estas minhas palavras e as pratica é como um homem prudente que construiu a sua casa sobre a rocha. Caiu a chuva, transbordaram os rios, sopraram os ventos e deram contra aquela casa, e ela não caiu, porque tinha seus alicerces na rocha. Mas quem ouve estas minhas palavras e não as pratica é como um insensato que construiu a sua casa sobre a areia. Caiu a chuva, transbordaram os rios, sopraram os ventos e deram contra aquela casa, e ela caiu. E foi grande a sua queda.

O texto nos ensina uma lição muito simples: não existe casa que suporte a tempestade se não existir uma base forte. A Bíblia nos diz que essa base é Cristo. Somente pelos olhos de Jesus podemos vislumbrar um casamento duradouro. Somente com olhos espirituais podemos enxergar quem nosso cônjuge pode realmente ser. Enxergando o casamento como um caminho para a santificação (aperfeiçoamento), podemos entender o nosso verdadeiro papel dentro do casamento. Cada cônjuge tem o privilégio de fazer parte do processo de transformação, por meio da Palavra, na vida do outro. O pastor e teólogo Tim Keller diz em seu livro *O significado do casamento*:

> Não se trata, de maneira alguma, de uma abordagem ingênua ou romantizada; pelo contrário, ela é brutalmente realista. Nesse conceito de casamento, cada pessoa diz à outra: "Vejo suas falhas, imperfeições, fraquezas e dependências. Por trás delas, porém, vejo em desenvolvimento a pessoa que Deus quer que você seja". É algo totalmente diferente da busca pela "compatibilidade". Como vimos, pesquisadores descobriram que esse termo significa que a pessoa está à procura de um parceiro que a aceite como ela é. Aqui, estamos falando de algo que é exatamente o oposto! A busca pelo companheiro ideal é uma missão impossível. A abordagem aqui exposta também é radicalmente distinta do método cínico ou frio de encontrar um cônjuge que possa prover status social, segurança financeira ou sexo da melhor qualidade. *Se você não enxerga as fraquezas, dependências e defeitos profundos de seu companheiro, não está sequer participando do processo. Se, contudo, não se empolga com a pessoa na qual seu cônjuge está se transformando e que virá a ser um dia, não está se valendo do poder do casamento como amizade espiritual. O objetivo é vislumbrar algo absolutamente arrebatador que Deus está realizando na pessoa amada. Mesmo neste mundo, é possível ver lampejos de glória. Você quer ajudar seu cônjuge a se tornar a pessoa que Deus quer que ele seja.*[1]

---

[1]KELLER, Timothy. *O significado do casamento.* São Paulo: Vida Nova, 2012. p. 148.

Juntando o que o Evangelho de Mateus afirma com essa explicação de Keller, fica clara a ideia de que um casamento bem-consolidado só é possível através de Cristo. A Palavra de Deus revela toda a estrutura frágil das nossas ideias de compatibilidades e finalmente nos leva à cruz. É na cruz que reconhecemos os nossos próprios pecados e olhamos para os pecados de outros dentro do nosso lar com o olhar misericordioso de Cristo. É na cruz que encontramos o perdão necessário para um casamento duradouro. É também na cruz que encontramos a esperança para perseverar.

É na cruz que reconhecemos os nossos próprios pecados e [...] encontramos o perdão necessário para um casamento duradouro. É também na cruz que encontramos a esperança para perseverar.

O VALOR DO TRABALHO

No livro *Ânimo*, o autor Eugene Peterson nos mostra, por meio de uma análise da vida do profeta Jeremias, como viver uma vida extraordinária. Em um dos trechos do livro ele diz:

> Todos nós conhecemos pessoas que passam a vida inteira no mesmo emprego e função e que são, inevitavelmente, desvalorizadas ao longo do tempo. Elas são persistentes na realização das mesmas coisas por longos anos, mas nós não as admiramos por isso. Antes, sentimos tristeza por estarem escravizadas a trabalhos tão monótonos e por não apresentarem o mínimo desejo ou criatividade para mudar as coisas.
>
> No entanto, não sentimos pena ou tristeza diante de Jeremias. Ele não estava aprisionado a uma rotina, mas

> empenhado no cumprimento de um propósito. O único sentimento que Jeremias não mostrava era enfado. Tudo o que sabemos a seu respeito nos fornece evidências de que, após vinte e três anos, sua imaginação estava ainda mais viva e seu espírito muito mais forte e resistente do que em sua juventude. Aquele período não foi em vão. Cada dia era um novo episódio na aventura de viver uma vida profética. Aqueles dias resultaram em uma vida de inacreditável tenacidade e de incrível resistência.[2]

A vida do profeta Jeremias nos ensina sobre a beleza da persistência através do tempo. Ele exerceu seu ministério e propósito por mais de quarenta anos. A sua vida — que para muitos poderia ser vista como monótona — nada mais era do que o retrato de um homem persistente em direção à vontade de Deus. Eu fico pensando em como isso contrasta com a maneira como a nossa geração tem vivido.

Buscamos cerimônias de casamento impecáveis, mas não sabemos dialogar com o nosso cônjuge. Ralamos o ano todo no trabalho para no fim do ano fazer a melhor viagem de férias, mas não nos esforçamos para realizar ao menos uma refeição diária em família. Queremos fotos perfeitas de casal para postar nas redes sociais, mas mal conseguimos falar um para o outro aquilo que mais admiramos nele. Buscamos ter corpos perfeitos e nos tornarmos cada vez mais atraentes, mas na cama só queremos ser agradados. Falamos sobre empatia e cuidado com a natureza e os animais, mas não temos respeito pelos nossos dentro de casa.

---

[2] PETERSON, Eugene. *Ânimo*! O antídoto bíblico contra o tédio e a mediocridade. São Paulo: Mundo Cristão, 2008.

Como casais desta geração, me parece que nos falta comer mais arroz e feijão. Temos alimentado os nossos relacionamentos de suco verde e esquecido que é preciso de sustância para se manter em pé. Precisamos voltar ao básico. Enquanto buscarmos um relacionamento que vive apenas de bons momentos, viagens incríveis e um sexo cheio de química, perdemos a oportunidade de criar uma casca mais grossa que suporta os momentos ordinários. Inclusive são eles que moldam o casamento. É em meio a boletos, louça suja, noites sem sexo, conversas longas e incompatibilidades que o casamento floresce.

É em meio a boletos, louça suja, noites sem sexo, conversas longas e incompatibilidades que o casamento floresce.

Vemos casais com o desejo de colher determinados frutos no casamento que só são possíveis depois de anos de experiência e perseverança. Essa expectativa de um casamento no qual tudo flui naturalmente é totalmente falsa; às vezes vivemos como se as únicas duas escolhas fossem: ou as coisas se encaixam entre nós ou não é pra ser. O encaixe é fruto de muitos desencaixes ao longo do caminho. O fluir naturalmente só colhe quem se esforçou para chegar a esse lugar.

Hoje eu chego a um lugar do casamento em que olho para casais mais velhos com muitos anos de casados e meu coração bate mais forte. As rugas que mostram as marcas do tempo me inspiram mais do que cenas apaixonadas em um filme romântico. Essa visão me tirou todos os pensamentos de divórcio que eu tinha com determinada frequência no início do casamento. Entender o valor do trabalho árduo que existe por detrás de um casamento duradouro me fez encontrar beleza na persistência.

Se voltarmos ao início de tudo, em Gênesis, podemos ver Deus na criação do mundo afirmando quatro vezes que o que ele estava fazendo era bom. Porém, mesmo após criar um paraíso, Deus olha para Adão e afirma pela primeira vez que algo não é bom. "Não é bom que o homem esteja só" (Gênesis 2:18). Após criar Eva e colocá-la junto a Adão para viver no paraíso, Deus finalmente afirma que algo era muito bom (Gênesis 1:31). Não existem dúvidas: Deus olha para o casamento e diz "É muito bom!". Os pensamentos de divórcio e os pecados gerados pelas incompatibilidades de um casal podem sugerir que o casamento não seja bom. Porém, o caminho para a santificação nos aproxima de Deus e podemos voltar ao "muito bom". Não existe "muito bom" longe de Deus. Ainda na Bíblia, Paulo escreve sobre o amor na primeira carta aos coríntios:

Entender o valor do trabalho árduo que existe por detrás de um casamento duradouro me fez encontrar beleza na persistência.

> O amor é paciente, o amor é bondoso. Não inveja, não se vangloria, não se orgulha. Não maltrata, não procura seus interesses, não se ira facilmente, não guarda rancor. O amor não se alegra com a injustiça, mas se alegra com a verdade. Tudo sofre, tudo crê, tudo espera, tudo suporta. (1Coríntios 13:4-7)

Esse texto é muito usado em cerimônias de casamento, e por isso pode soar até clichê. Porém, ele vai totalmente contra o que nos é ditado sobre o amor. O amor descrito na Bíblia é ativo. Enquanto buscamos um amor passivo, que somente nos serve, compreende e satisfaz, a Palavra de Deus nos ensina sobre o verdadeiro amor, aquele que envolve muito trabalho. Repare bem que inclusive o texto o descreve em 15 atitudes diferentes. É preciso muita agir para poder verdadeiramente amar!

No início do nosso namoro, o Rafa descobriu que eu tinha escrito anos atrás em uma das minhas redes sociais esta frase: "Plante um limoeiro no meu quintal e ganhe o meu amor eterno". Obviamente eu estava sendo irônica e exagerada, mas escrevi isso baseado no fato de que sempre gostei muito de limão. Depois de ler isso, o Rafa decidiu pegar algumas sementinhas de limão e começou a cuidar delas até que alguma virasse uma muda.

Em uma das nossas comemorações de namoro, ele fez um caça tesouro e, no final, o meu presente era a muda da qual ele tinha cuidado. Eu fiquei muito surpresa e amei o presente! Porém, como não sou boa no cuidado com as plantas, acabei dando para a minha mãe plantar a muda ali no quintal de casa.

Depois de muitos anos, já grávida dos gêmeos, eu estava passando muito mal por conta da gravidez. A única coisa que aliviava o mal-estar era geladinho de limão. E adivinha de onde vinha o limão? Sim, isso mesmo, daquela mudinha que virou um lindo limoeiro. Certo dia, já com os bebês nascidos, fomos à casa da minha mãe e eles foram brincar de catar alguns limões no chão. Eu olhava aquela cena com muita alegria. Aquela sementinha que o Rafa havia cultivado com tanto cuidado havia se tornado um grande limoeiro cheio de frutos; ele fazia sombra para os nossos filhos brincarem e também se transformava em deliciosas limonadas nos almoços de família.

Escrevendo este livro, coincidentemente, descobri que o limoeiro começa a frutificar ainda mais a partir de seu sétimo ano de vida. Por sete anos ele deverá ser cuidado, regado e cultivado, para que um dia os frutos possam ser colhidos. Atualmente celebramos o nosso sétimo ano de casados, colhendo alguns frutos desses últimos anos de trabalho. Quanto mais frutos colhemos, mais queremos cultivar o nosso limoeiro chamado casamento. Quanto mais cultivamos, mais desejamos que a nossa geração e as próximas possam desfrutar dos frutos de um casamento duradouro, e oramos por isso. Oro e desejo que você faça parte dessa geração. Estamos juntos nessa!

Segundo Santa Teresa D'Ávila, "é justo que muito custe o que muito vale".

Aperfeiçoando

Chegando ao final deste livro, depois de tantas tarefas, reflexões e exercícios aplicados, gostaria de te convidar a fazer algumas cartas. Sinta-se livre para escrevê-las como quiser, mas abaixo te deixo algumas sugestões.

Carta para o cônjuge:

Escreva nela coisas que você refletiu sobre o casamento enquanto lia o livro. Nela você pode abrir o seu coração, falando o que você ama em seu cônjuge e no casamento de vocês. Aproveite para dizer aquilo que você gostaria que melhorasse e atitudes com as quais você vai se comprometer para fazer parte dessa melhora. Despeje nessa carta palavras de bênçãos sobre o seu cônjuge e sobre a família de vocês. Ao final, entregue a carta para o seu cônjuge junto com um presente significativo para vocês.

Carta para os filhos:

Escreva nela todas as características que você admira em seu filho. Aproveite esta carta para dizer o quão amado e importante ele é nessa família. Lance palavras de bênção sobre seu futuro, suas decisões e todas as suas áreas de sua vida.